Só o Amor é Real

UMA HISTÓRIA DE
ALMAS GÊMEAS QUE
VOLTAM A SE UNIR

BRIAN L. WEISS, M.D.

Só o Amor é Real

UMA HISTÓRIA DE ALMAS GÊMEAS QUE VOLTAM A SE UNIR

SALAMANDRA

tradução
Roberto Raposo

preparo de originais
Regina Maria da Veiga Pereira

capa
Luciana Mello e Monika Meyer

fotolitos
Mergulhar Serviços Editoriais Ltda.

impressão
Lis Gráfica e Editora Ltda.

CIP-Brasil. Catalogação-na-fonte
Sindicato Nacional dos Editores de Livros, RJ.

W456s Weiss, Brian L.
Só o amor é real : uma história de almas gêmeas que voltaram a se unir / Brian L. Weiss ; tradução de Roberto Raposo. — Rio de Janeiro : Salamandra, 1996

Tradução de : Only love is real

1. Reencarnação. 2. Terapia de vidas passadas - Estudo de casos. I. Título.

96-0279 CDD 133.9013
CDU 133.7

Salamandra Consultoria Editorial Ltda.
Av. Nilo Peçanha, 155 Gr. 301 - Centro
20020-100 - Rio de Janeiro - RJ
Tel.: (021) 240.6306 - Fax.: (021) 240.4755

Ao Leitor

O sigilo entre psiquiatra e paciente é um princípio fundamental e tradicional da ética psiquiátrica. Os pacientes mencionados neste livro autorizaram-me a escrever a história real de ambos. Somente os nomes e outros detalhes que poderiam identificá-los foram alterados de modo a proteger-lhes a privacidade. As histórias que eles narram são verdadeiras e não foram alteradas.

Agradecimentos

Minha gratidão pelo constante apoio e amor vai para Carole, Jordan e Amy.

Meu mais profundo reconhecimento vai para Joann Davies, minha editora na Warner Books, por seu estímulo, percepção, sabedoria. Ela é o máximo.

Sinto-me em dívida de gratidão com Joni Evans, agente extraordinária, por sua ilimitada energia e entusiasmo.

E, finalmente, quero agradecer a todos os meus pacientes e participantes de palestras e oficinas que compartilharam suas vidas comigo.

*Para Elizabeth e Pedro,
que me fizeram lembrar que
não há coincidências no amor.*

Prefácio

"A alma do homem é como a água;
Vem do Céu
E sobe para o Céu,
Para depois voltar à Terra,
Em eterno ir e vir".
Goethe

Pouco antes da divulgação do meu primeiro livro, *Muitas Vidas, Muitos Mestres*, fiz uma visita ao dono de uma livraria local para saber se ele o havia encomendado à editora. Consultamos o computador.

– Quatro exemplares – disse ele. – Deseja encomendar um?

Eu não podia saber se as vendas do livro chegariam a alcançar o total da modesta tiragem programada pelo editor. Afinal, era estranho que um livro como aquele tivesse como autor um respeitado psiquiatra. O livro narra a história real de uma jovem paciente minha, cuja terapia de vidas passadas havia trazido mudanças radicais à sua vida – e à minha. Eu sabia, porém, que os meus amigos, conhecidos e certamente parentes comprariam ao todo mais de quatro exemplares, ainda que o livro não tivesse saída alguma no resto do país.

– Por favor – disse eu ao livreiro. – Os meus amigos, alguns dos meus pacientes e outras pessoas que conheço virão aqui à procura desse livro. Não pode encomendar mais?

Foi preciso que eu lhe desse a minha garantia pessoal para os cem exemplares que ele terminou encomendando.

Para minha completa surpresa, o livro veio a ser um sucesso internacional, com mais de um milhão de exemplares impressos, e traduzido para mais de vinte idiomas. Minha vida dera mais uma guinada fora do comum.

Depois de formar-me com distinção pela Universidade de Columbia e de terminar o meu curso na Faculdade de Medicina da Universidade de Yale, fui também residente nos hospitais de ensino da Universidade de Nova York e psiquiatra residente em Yale. Depois, fui professor do corpo médico docente da Universidade de Pittsburgh e da Universidade de Miami.

Nos onze anos seguintes, dirigi o Departamento de Psiquiatria do Hospital Mount Sinai, de Miami. A essa altura, eu havia escrito muitos estudos científicos, publicado artigos e estava no auge de minha carreira acadêmica.

Foi então que Catherine, a jovem paciente que descrevi em meu primeiro livro, entrou em meu consultório do Mount Sinai. Suas detalhadas lembranças de vidas passadas, nas quais inicialmente não acreditei, e sua capacidade de transmitir mensagens transcendentais quando em transe hipnótico provocaram verdadeira revolução em minha vida. Não me era mais possível encarar o mundo como antes.

Depois de Catherine, muitos outros pacientes me procuraram para fazer terapia de regressão. Portadores de sintomas resistentes aos tradicionais tratamentos médicos e psicoterápicos estavam sendo curados.

O meu segundo livro, *A Cura através da Terapia de Vidas Passadas*[1], descreve o que aprendi acerca do potencial de cura da terapia de regressão a vidas passadas. O livro está repleto de histórias verdadeiras de pacientes reais.

A história mais intrigante de todas está neste meu terceiro livro, *Só o Amor é Real*. O livro trata de duas almas gêmeas, pessoas eternamente ligadas pelo amor, que voltam a se unir, repetidamente, vida após vida. Alguns dos momentos mais comoventes e importantes de nossa existência são aqueles em que descobrimos e reconhecemos nossas almas gêmeas e tomamos as decisões que nos transformam a vida.

O destino determina o encontro de almas gêmeas. Sem dúvida, estamos fadados a encontrá-las. Mas o que decidimos fazer depois desse encontro depende de opção ou de livre arbítrio. Uma opção errada ou uma oportunidade perdida pode resultar em incrível solidão e sofrimento. Escolhas certas e oportunidades realizadas podem trazer-nos profunda satisfação e felicidade.

Elizabeth, uma bela mulher do Centro-Oeste, começou a fazer terapia comigo em virtude da profunda dor e da ansiedade em que mergulhara depois da morte da mãe. Vinha também tendo problemas em seus relacionamentos com homens, escolhendo indivíduos fracassados, violentos e outros péssimos companheiros. Jamais sentira verdadeiro amor em qualquer relação com o sexo masculino.

---

[1] N.E.: Título provisório do livro *Through Time into Healing*, que será lançado no Brasil pela Editora Salamandra.

Iniciamos a nossa jornada de volta a tempos remotos com resultados surpreendentes.

Ao mesmo tempo em que Elizabeth estava fazendo essa terapia de vidas passadas, eu estava tratando de Pedro, um simpático mexicano que também sofria de angústia. O irmão de Pedro morrera num trágico acidente. Além disso, problemas com a mãe e segredos de sua infância pareciam conspirar contra ele.

Pedro sentia-se sob o peso do desespero e da dúvida, sem ter com quem falar acerca de seus problemas.

Tal como Elizabeth, pôs-se a pesquisar suas vidas passadas em busca de soluções e de cura.

Embora Elizabeth e Pedro estivessem fazendo terapia comigo na mesma época, nunca haviam se encontrado, pois tinham consultas em dias diferentes.

Nos últimos quinze anos, freqüentemente tratei de casais e famílias que descobriram os seus atuais companheiros e entes queridos em vidas passadas. Às vezes, faço regressão com casais que, simultaneamente e pela primeira vez, se vêem interagindo em uma mesma existência anterior. Essas revelações costumam ser chocantes para o casal. Jamais haviam sentido qualquer coisa parecida. Permanecem em silêncio enquanto as cenas se desenrolam em meu consultório de psiquiatria. Só depois que saem do estado hipnótico e relaxado é que descobrem, pela primeira vez, que estavam vendo as mesmas cenas, sentindo as mesmas emoções. E é só então que eu também me dou conta de suas ligações em uma vida passada.

Com Elizabeth e Pedro, porém, tudo foi invertido. As vidas, as existências dos dois vinham se desenrolando de forma independente e separada em meu consultório. Eles não se conheciam. Nunca se haviam encontrado. Pertenciam a culturas e países diferentes. Eu próprio, vendo-os separadamente e sem ter qualquer motivo para suspeitar de uma ligação entre os dois, não fui capaz de fazer a conexão. No entanto, eles pareciam estar descrevendo as mesmas vidas passadas com espantosa semelhança de detalhes e emoções. Teriam se amado e perdido um ao outro no decorrer de existências anteriores? No começo, nenhum de nós tinha a menor idéia do drama emocionante que começara a se desenrolar na serenidade do meu consultório.

Eu fui o primeiro a descobrir a conexão entre os dois. Mas o que fazer em seguida? Devia contar-lhes a verdade? E se estivesse errado? O que dizer do sigilo entre médico e paciente? E de suas relações atuais? Podia interferir no destino? E se uma ligação na vida presente não estivesse em seus planos ou não lhes fosse benéfica? Mais uma relação fracassada iria talvez minar o progresso terapêutico que eles haviam feito, bem como a confiança que tinham em mim. Um princípio que me ficara durante o curso de medicina e na subseqüente experiência como psiquiatra residente da Faculdade de Medicina da Universidade de Yale era nada fazer que pudesse prejudicar o paciente. Em caso de dúvida, nunca fazer mal. Tanto Elizabeth quanto Pedro vinham melhorando. Talvez fosse melhor deixar as coisas como estavam.

Pedro estava terminando o seu tratamento psicoterápico e em breve deixaria os Estados Unidos. Era urgente que eu tomasse uma decisão.

Nem todas as sessões que realizei com eles estão incluídas neste livro, uma vez que algumas delas nada tinham a ver com as histórias dos dois. Algumas foram completamente dedicadas à psicoterapia tradicional e não incluíam hipnose nem regressão.

O texto que se segue foi escrito a partir de meus registros médicos, transcrições de fitas e memória. Somente os nomes e pequenos detalhes foram alterados a bem do sigilo. Trata-se de uma história de destino e esperança. Uma história que ocorre silenciosamente todos os dias.

Acontece que, naquele dia, alguém estava escutando.

1

"Fica sabendo, portanto, que hei de voltar do silêncio maior ... Não esqueças que voltarei para ti. ... Um pouco de tempo, um momento de repouso sobre o vento, e uma outra mulher me dará à luz."

Kahlil Gibran

Para cada um de nós, existe alguma pessoa especial. Muitas vezes, existem duas, três ou mesmo quatro. Todas vêm de gerações diferentes. Atravessam oceanos de tempo e profundidades celestiais para estarem conosco novamente. Vêm do outro lado, do céu. Podem parecer diferentes, mas nosso coração as reconhece. Nosso coração as abrigou em braços como os nossos nos desertos do Egito, sob o luar, e nas planícies antigas da Mongólia. Marchamos juntos nos exércitos de generais guerreiros que a História esqueceu, e vivemos com elas nas cavernas cobertas de areia dos Homens Antigos. Há entre elas e nós um laço eterno, que nunca nos deixa sós.

A nossa mente pode interferir. "Eu não te conheço". Mas o coração sabe.

Ele toma a nossa mão pela primeira vez, e a lembrança daquele toque transcende o tempo e faz disparar uma corrente que percorre todos os átomos do nosso ser. Ela olha em nossos olhos e vemos um espírito que nos vem acompanhando há séculos. Há uma estranha sensação em nosso estômago. Nossa pele se arrepia. Tudo o que existe fora desse momento perde a importância.

Ele pode não nos reconhecer, muito embora tenhamos finalmente nos reencontrado, embora o conheçamos. Sentimos a ligação. Vemos o potencial, o futuro. Mas ele não o vê. Temores, racionalizações, problemas cobrem-lhe os olhos com um véu. Ele não permite que afastemos o véu. Choramos e sofremos, mas ele se vai. O destino tem seus caprichos.

Quando os dois se reconhecem, nenhum vulcão é capaz de explodir com força igual. A energia liberada é tremenda.

O reconhecimento da alma pode ser imediato. Uma súbita sensação de familiaridade, de conhecer aquela pessoa em níveis mais profundos do que a mente consciente poderia alcançar. Em níveis geralmente reservados aos mais íntimos membros da família. Ou ainda mais profundos. Sabemos intuitivamente o que dizer, como ele vai reagir. Um sentimento de segurança e uma confiança muito maior do que se poderia atingir em apenas um dia, uma semana ou um mês.

O reconhecimento da alma pode ser sutil e lento. Um despertar da consciência à medida em que o véu vai sendo aos poucos levantado. Nem todos estão prontos para ver imediatamente. Há um ritmo nisso tudo, e a paciência pode ser necessária àquele que percebe primeiro.

Um olhar, um sonho, uma lembrança, uma sensação podem fazer com que despertemos para a presença do espírito companheiro. O toque de suas mãos ou o beijo de seus lábios pode nos despertar e projetar-nos subitamente de volta à vida.

O toque que nos desperta pode ser de um filho, de um pai, de uma mãe, de um irmão ou de um amigo leal. Ou pode ser da pessoa a quem amamos, que atravessa os séculos para nos beijar mais uma vez e lembrar-nos de que estamos juntos sempre, até o fim dos tempos.

2

"A minha vida, tal como a vivi, muitas vezes me pareceu uma história sem começo nem fim. Eu tinha a sensação de ser um fragmento histórico, um trecho ao qual faltavam o trecho anterior e o seguinte. Podia perfeitamente imaginar ter vivido em séculos precedentes, onde encontrava perguntas que ainda não era capaz de responder; que teria de nascer de novo por não ter cumprido a tarefa que me havia sido designada".

Carl Jung

Alta, magra e bonita, de longos cabelos louros, Elizabeth tinha olhos azuis circundados de pintinhas cor de avelã, belos mas tristes. Sentada nervosamente na ampla poltrona de couro branco de meu consultório, o aspecto profissional que lhe dava o costume azul marinho contrastava com seu ar melancólico.

Elizabeth se sentira compelida a me procurar em busca de ajuda depois de ler *Muitas Vidas, Muitos Mestres* e identificar-se, sob diversos aspectos, com Catherine, a principal personagem do livro.

– Ainda não sei exatamente o que a trouxe aqui – comentei, quebrando o costumeiro impasse do começo da terapia.

Eu lera rapidamente a folha de informações que todos os pacientes preenchem. Nome, idade, fonte de referências, principais queixas e sintomas. Elizabeth dizia ali que os seus males principais eram angústia, ansiedade e noites mal dormidas. Quando começou a falar, eu rapidamente acrescentei "relacionamentos" à lista que ela apresentara.

– A minha vida está em completa desordem – disse ela.

E passou a contar-me a sua história, como se finalmente achasse seguro falar dessas coisas. Era evidente que a tensão que havia nela começava a ceder.

Apesar do drama da história de sua vida e da profunda emoção que havia logo abaixo da superfície de sua narrativa, Elizabeth tratou logo de minimizar a sua importância.

– A minha história não chega a ser tão dramática quanto a de Catherine – disse ela. – Ninguém vai escrever um livro a meu respeito.

Sua história, dramática ou não, terminou vindo à tona.

Elizabeth era uma empresária bem-sucedida, dona de uma firma de contabilidade em Miami. Mulher de trinta e dois anos, nascera e fora criada na zona rural de Minnesota. Crescera em uma grande fazenda na companhia dos pais, de um irmão mais velho e de muito gado. O pai era um homem estóico e trabalhador que tinha grande dificuldade em expressar suas emoções. Quando chegava a exibir emoções, estas eram geralmente de cólera e raiva. Perdia a calma e despejava a fúria sobre a família, às vezes agredindo o irmão. A agressão que Elizabeth recebia era apenas verbal, mas feria-a muito.

No fundo da alma, Elizabeth ainda trazia essa mágoa da

infância. A imagem que fazia de si mesma fora prejudicada pelas condenações e críticas do pai. Trazia em seu coração uma dor profunda. Sentia-se depreciada e de certa forma defeituosa, e preocupava-se com a possibilidade de que os outros, especialmente os homens, percebessem também os seus defeitos.

Felizmente, as explosões do pai eram raras, e ele rapidamente voltava ao isolamento severo e estóico que lhe caracterizava a personalidade e o comportamento.

A mãe de Elizabeth era uma mulher de mente aberta e independente. Promovia a auto-confiança de Elizabeth mantendo-se carinhosa e emocionalmente protetora. Por causa dos filhos e das condições da época, preferiu ficar na fazenda e tolerar relutantemente a rispidez e o isolamento emocional do marido.

– A minha mãe era um anjo – continuou Elizabeth. – Estava sempre ali, sempre cuidando de nós, sempre se sacrificando em favor dos filhos.

Elizabeth, a caçula, era a favorita da mãe. Guardava da infância muitas lembranças agradáveis. As mais agradáveis eram momentos de intimidade com a mãe, do amor especial que as unia e que persistiu ao longo dos anos.

Elizabeth cresceu, terminou o curso secundário e passou a freqüentar uma universidade em Miami, da qual havia recebido generosa bolsa de estudos. Miami lhe parecia uma aventura exótica e ela se sentiu desejosa de deixar para trás o frio Centro-Oeste. A mãe acompanhava com prazer as aventuras de Elizabeth. Eram muito amigas e, embora se comunicassem quase sempre por telefone ou correspondência, a relação entre mãe e filha permanecia forte. Os feriados e as férias eram ocasiões felizes para ambas, pois Elizabeth raramente perdia uma oportunidade de voltar para casa.

No decorrer de uma dessas visitas, a mãe de Elizabeth falou de mudar-se para o sul da Flórida a fim de estar perto da filha. A fazenda era grande e cada vez mais difícil de administrar. Haviam economizado um bom dinheiro, quantia que se tornara maior dada a frugalidade do pai. Elizabeth desejava morar novamente perto da mãe. Os seus contatos quase diários não precisariam mais ocorrer por telefone.

Assim, Elizabeth permaneceu em Miami. Sua firma vinha lentamente crescendo. A concorrência era forte e o trabalho absorvia grande parte do seu tempo. Os relacionamentos com homens contribuíam para aumentar o seu estresse.

Foi então que se deu o desastre.

Cerca de oito meses antes de sua primeira consulta comigo, Elizabeth fora arrasada pela morte da mãe, vítima de câncer do pâncreas. Sentira-se como se aquela morte lhe houvesse arrancado o coração. Estava tendo enorme dificuldade em consolar-se da dor. Não conseguia assimilá-la, não chegava a compreender por que aquilo tinha de acontecer.

Magoada, Elizabeth falou-me da luta corajosa que a mãe travara contra o câncer virulento que lhe devastava o corpo. Seu espírito e seu amor haviam permanecido intactos. A tristeza que ambas sentiram foi profunda. A separação física era inevitável e aproximava-se silenciosa mas persistentemente. O pai de Elizabeth, antecipando o seu pesar, tornou-se ainda mais distante, envolto em sua solidão. O irmão, vivendo na Califórnia com sua jovem família e um novo negócio, mantinha certa distância física. Elizabeth ia a Minnesota sempre que podia.

Não tinha ninguém a quem pudesse falar dos seus temores e de sua dor. Não queria preocupar a mãe agonizante mais do que o absolutamente necessário. Assim, mantinha o desespero dentro de si mesma e sentia-o crescer a cada dia.

– Vou sentir muita falta de você – dizia-lhe a mãe. – Eu te amo e a parte mais difícil é separar-me de você. Não tenho medo de morrer. Não receio o que me espera. Apenas não quero deixar você ainda.

Ao tornar-se cada vez mais fraca, o desejo de viver mais tempo diminuiu gradualmente. A morte seria um alívio bem-vindo para a debilidade e a dor. O seu último dia chegou.

A mãe de Elizabeth estava no hospital, o quarto estreito repleto de familiares e visitantes. A respiração tornou-se irregular. Os tubos de urina estavam secos, os rins haviam parado de funcionar. Os períodos de consciência e inconsciência se alternavam. Houve um instante em que Elizabeth se viu a sós com ela. Nesse momento, os olhos da mãe se abriram, estava novamente lúcida.

– Não te deixarei – disse ela, com voz subitamente firme. – Sempre te amarei!

Foram estas as últimas palavras que Elizabeth ouviu da mãe, que logo depois entrou em coma. A respiração tornou-se ainda mais irregular, com longas paradas e súbitos arquejos convulsivos.

Pouco depois, morreu. Elizabeth sentiu um profundo e enorme vazio no coração e na vida. Chegou a sentir uma dor física no peito. Achava que jamais voltaria a ser uma pessoa completa. Chorou durante meses.

Sentia falta dos freqüentes telefonemas que fazia à mãe. Tentou telefonar ao pai com mais freqüência, mas ele permanecia distante e tinha pouco a dizer. O telefonema terminava após um minuto ou dois. Ele também se sentia pesaroso e o seu pesar o isolava ainda mais. O irmão, com a mulher e dois filhos pequenos na Califórnia, também sentira-se arrasado pela morte da mãe, mas tinha de cuidar da família e do trabalho.

A dor de Elizabeth evoluiu para uma depressão com sintomas cada vez mais significativos. Dormir à noite era um problema para ela. Tinha dificuldade em adormecer e acordava muito cedo pela manhã, incapaz de voltar a dormir. Comia menos e começou a emagrecer. Sua falta de energia tornou-se evidente. Perdeu o entusiasmo pelos relacionamentos e sua capacidade de concentração diminuía cada vez mais.

Antes da morte da mãe, a ansiedade de Elizabeth consistia principalmente em estresse provocado pelo trabalho, pelos prazos e decisões difíceis. Por vezes sentia-se ansiosa também acerca de suas relações com homens, com o modo pelo qual deveria agir e sobre qual seria a reação deles.

Depois, os níveis de ansiedade de Elizabeth aumentaram expressivamente. Ela perdera a sua confidente e consultora diária, sua melhor amiga. Perdera a sua principal fonte de orientação e apoio. Sentia-se desorientada, sozinha, sem rumo.

Telefonou para marcar uma consulta.

Entrou em meu consultório com a esperança de encontrar uma vida passada na qual estivesse ao lado da mãe, ou de entrar em contato com ela em alguma experiência mística. Em livros e palestras, menciono pessoas que, em estado meditativo, têm esses encontros místicos com entes queridos. Elizabeth lera o meu primeiro livro e parecia saber da possibilidade de tais experiências.

À medida que se tornam mais abertas à possibilidade e até mesmo à probabilidade de vida após a morte do corpo físico, da continuação da consciência depois que deixam o corpo físico, as pessoas passam a ter mais dessas experiências místicas em sonhos e em outros estados de consciência alterados. Se esses encontros são reais ou não, é difícil provar. Mas são vívidos e plenos de sentimento. Às vezes, a pessoa chega a tomar consciência de informações, fatos ou detalhes específicos que só o morto ou a morta conhecia. É difícil atribuir à simples imaginação essas revelações feitas por visitas espirituais. Hoje acredito que esses novos conhecimentos são obtidos, ou as visitas ocorrem, não porque as pessoas desejam que isso aconteça, não porque precisem disso, mas porque é assim que os contatos são feitos.

Muitas vezes, as mensagens são muito semelhantes, especialmente em sonhos. "Eu estou bem, muito bem. Trate de você. Eu te amo".

A esperança de Elizabeth era estabelecer algum tipo de encontro ou contato com a mãe. Seu coração precisava de um bálsamo que lhe aliviasse a dor constante.

Nessa primeira sessão, fiquei sabendo um pouco mais a respeito de sua história.

Elizabeth fora casada durante pouco tempo com um empreiteiro local. O homem tinha dois filhos de um casamento anterior. Embora ela não o amasse apaixonadamente, ele era uma boa pessoa e ela pensava que esse relacionamento traria alguma estabilidade à sua vida. Mas a paixão não pode ser criada artificialmente em um relacionamento. Pode haver respeito, pode haver compreensão, mas a química do amor tem de existir desde o começo.

Quando descobriu que o marido tinha um caso extraconjugal com alguém que podia dar-lhe mais excitação e prazer, Elizabeth relutantemente pôs fim à relação. Sentiu-se triste com o rompimento e triste por separar-se dos dois filhos, mas o divórcio não lhe doeu tanto. A perda da mãe havia sido muito mais grave.

Graças à sua beleza física, foi fácil a Elizabeth conhecer e sair com outros homens depois do divórcio. Mas tampouco esses relacionamentos traziam a chama necessária. Elizabeth passou a duvidar de si mesma, a tentar encontrar em si própria a culpa de sua incapacidade de estabelecer bons relacionamentos. "O que há de errado comigo?", indagava-se ela. E o seu amor próprio perdia mais um ponto.

As setas aguçadas das dolorosas críticas que o pai lhe fizera durante a infância haviam deixado marcas em sua psique. Os relacionamentos fracassados com homens esfregavam sal nessas feridas.

Teve uma relação com um professor de uma universidade próxima, mas ele não pôde dedicar-se a ela devido aos seus próprios temores. Muito embora houvesse entre eles um forte sentimento de ternura e muita compreensão, e apesar de se comunicarem muito bem, ele se sentia incapaz de dedicar-se a ela e confiar em seus sentimentos, e isso condenou a relação a um fim tranqüilo e nada espetacular.

Alguns meses depois, Elizabeth conheceu e passou a se encontrar com um banqueiro bem-sucedido. Sentia-se segura e protegida nesse relacionamento, mas o componente químico era mais uma vez limitado. Ele, porém, sentia forte atração por Elizabeth e mostrava-se zangado e ciumento quando ela não retribuía com o tipo de energia e entusiasmo que ele esperava. Passou a beber mais e a maltratá-la fisicamente. Foi mais uma relação a que Elizabeth teve de dar fim.

Aos poucos, ela ia perdendo as esperanças de encontrar um homem com o qual pudesse ter um bom relacionamento amoroso.

Atirou-se ao trabalho, ampliando a firma e escondendo-se atrás de números, cálculos e papelada. Suas relações consistiam basicamente em contatos comerciais. E ainda que, de vez em quando, um homem a convidasse para sair, Elizabeth fazia alguma coisa para desestimular aquele interesse antes que ele se tornasse sério.

Elizabeth sabia que o seu relógio biológico não parara. Ainda esperava encontrar algum dia o homem ideal, mas perdera muito de sua confiança.

A primeira sessão de terapia, dedicada a colher dados históricos, formular um diagnóstico, estabelecer um método terapêutico e plantar as sementes da confiança em nosso relacionamento terminara. O gelo fora quebrado. Decidi não usar Prozac nem qualquer outra medicação antidepressiva daquela vez. O objetivo seria curá-la e não apenas encobrir os seus sintomas.

Na sessão seguinte, uma semana mais tarde, iríamos iniciar a difícil jornada de volta no tempo.

3

> *"Faz tanto tempo! E no entanto eu sou ainda a mesma Margaret. É somente a nossa vida que envelhece. Existimos em um lugar onde os séculos duram apenas segundos, e depois de mil vidas os nossos olhos começam a abrir-se".*
>
> Eugene O'Neill

Antes de minhas experiências com Catherine, eu nunca ouvira falar de terapia de regressão a vidas passadas. Isso não era ensinado quando eu estava na Faculdade de Medicina de Yale, nem em qualquer outra escola, como vim a saber.

Lembro-me ainda vividamente da primeira vez. Eu havia dito a Catherine que viajasse de volta no tempo, esperando descobrir traumas da infância que houvessem sido reprimidos ou esquecidos e que eu achava estarem causando os sintomas de ansiedade e depressão de que ela se queixava na época.

Ela já havia caído em profundo estado hipnótico que eu havia induzido, relaxando-a aos poucos com a minha voz. Sua mente estava concentrada nas instruções que eu lhe dava.

Uma semana antes, durante a sessão de terapia, havíamos

recorrido à hipnose pela primeira vez. Catherine lembrara-se de vários traumas de infância com grande detalhe e emoção. Geralmente na terapia, quando traumas esquecidos são relembrados com as respectivas emoções – um processo chamado catarse – os pacientes começam a melhorar. No entanto, os sintomas de Catherine continuaram graves e eu supus que precisávamos trazer à tona lembranças da infância ainda mais reprimidas. Com isso, ela deveria melhorar.

Cuidadosamente, levei Catherine de volta à idade de dois anos, mas ela não se lembrou de nenhum fato importante.

Disse-lhe em tom firme e claro:

– Volte à época em que surgiram os seus sintomas.

A reação dela chocou-me totalmente.

– Vejo uma escadaria branca que leva a um edifício, um grande prédio branco com colunas, aberto na frente. Não tem portas. Estou usando uma roupa comprida ... uma túnica feita de pano grosseiro. Meus cabelos formam tranças, cabelos longos e louros.

O nome dela era Aronda, jovem que vivera há quase quatro mil anos. Morrera subitamente em uma enchente ou maremoto que devastou a aldeia onde morava.

– Ondas enormes estão derrubando as árvores. Não há para onde fugir. Faz frio, a água está fria. Tenho de salvar a minha filhinha, mas não posso ... tenho de segurá-la bem. Estou me afogando, a água me sufoca. Não posso respirar, não consigo engolir ... água salgada. Minha filhinha é arrancada dos meus braços.

Catherine ofegava e respirava com dificuldade durante essa trágica lembrança. De repente, o seu corpo relaxou por completo e a respiração tornou-se profunda e regular.

– Vejo nuvens ... O meu bebê está comigo. E outras pessoas da minha aldeia. Vejo o meu irmão.

Estava descansando. Aquela vida terminara. Embora nem ela nem eu acreditássemos em vidas passadas, havíamos ambos tido acesso a uma antiga experiência.

Por incrível que pareça, o medo de engasgar-se e de sufocar, que a perseguira durante toda a vida, virtualmente desapareceu depois daquela sessão. Eu sabia que a imaginação ou a fantasia não podia curar sintomas crônicos e arraigados. A recordação catártica podia.

Semana após semana, Catherine lembrou-se de outras vidas passadas. Os seus sintomas desapareceram. Ela estava curada, sem ter usado qualquer medicamento. Juntos, havíamos descoberto o poder curativo da terapia de regressão.

Dados o meu ceticismo e rigoroso treinamento científico, eu achava difícil aceitar o conceito de vidas passadas. Dois fatores acabaram com o meu ceticismo, um deles rápido e altamente emocional, o outro gradual e intelectual.

Em uma das sessões, Catherine acabara de recordar a sua morte em uma vida em tempos antigos, morte causada por uma epidemia que assolara o país. Continuava em profundo transe hipnótico, consciente de estar flutuando acima do corpo e sendo atraída para uma luz brilhante. Começou a falar:

– Dizem-me que há vários deuses, pois Deus está em cada um de nós.

Em seguida, começou a contar-me detalhes muito particulares sobre a vida e a morte de meu pai e de meu filho pequeno. Ambos haviam morrido anos antes, bem longe de Miami. Catherine, técnica de laboratório do Hospital Mount Sinai, nada sabia a respeito deles. Não existia quem lhe pudesse fornecer tais detalhes. Não havia onde encontrar essas informações. Ela foi assombrosamente precisa. Senti-me chocado e gelado quando ela relatou essas verdades secretas e ocultas.

– Quem – perguntei-lhe – quem está aí? Quem lhe diz essas coisas?

– Os Mestres – sussurrou ela – os Espíritos Mestres me dizem. Eles me dizem que eu vivi oitenta e seis vezes no estado físico.

Mais tarde, Catherine descreveu os Mestres como espíritos altamente evoluídos, atualmente não encarnados, que podiam falar-me através dela. Deles recebi informações e conhecimentos espetaculares e profundos.

Catherine não recebera nenhum treinamento em física ou metafísica. O conhecimento que os Mestres transmitiam parecia muito além de sua capacidade. Ela nada sabia acerca de planos dimensionais e níveis de vibração. No entanto, quando em transe profundo, descrevia esses fenômenos complexos. Além disso, a beleza de suas palavras e os pensamentos e implicações filosóficas do que ela dizia transcendiam em muito a sua capacidade consciente. Catherine nunca falara de modo tão conciso e poético.

Ouvindo-a transmitir conceitos dos Mestres, eu sentia que havia outra força superior em luta com a sua mente e com as suas cordas vocais para traduzir aqueles pensamentos em palavras que eu pudesse compreender.

No decorrer das restantes sessões de terapia, Catherine transmitiu muitas outras mensagens dos Mestres, belas mensagens acerca da vida e da morte, das dimensões espirituais de nossas vidas na Terra. O meu despertar começara. O meu ceticismo começava a desaparecer.

Lembro-me de ter pensado: "Já que ela está certa sobre meu pai e meu filho, estará também certa a respeito de vidas passadas e reencarnação, a respeito da imortalidade da alma?"

Acredito que sim.

Os Mestres também falaram de vidas passadas.

– ... Nós escolhemos o momento de entrar no estado físico e quando vamos deixá-lo. Sabemos quando já cumprimos a missão para a qual fomos enviados à Terra. Sabemos quando chega a hora e aceitamos a nossa morte. Pois sabemos que nada mais alcançaremos nessa vida. Quando se tem tempo, quando se teve tempo de descansar e revigorar a alma, é permitido escolher o retorno ao estado físico. Os que hesitam, os que não estão seguros de sua volta à Terra podem perder a oportunidade que lhes foi dada, a chance de realizar o que deve ser feito no estado físico.

Desde a minha experiência com Catherine, fiz mais de mil pacientes regredirem às suas vidas passadas. Muito, muito poucos foram capazes de atingir o nível dos Mestres. No entanto, observei uma espantosa melhora clínica na maioria dessas pessoas. Vi pacientes lembrarem-se de um nome durante a recordação de uma existência recente e depois encontrarem antigos registros que comprovavam a existência dessa pessoa em uma vida passada, confirmando os detalhes da memória. Alguns pacientes chegaram a encontrar as suas próprias sepulturas em vidas passadas.

Observei alguns pacientes que eram capazes de falar trechos em línguas que eles nunca aprenderam, ou das quais nunca ouviram falar, em suas vidas atuais. Estudei também algumas crianças que podiam falar línguas estrangeiras que jamais haviam aprendido.

Li as constatações de outros cientistas que também estão fazendo terapia de regressão a vidas passadas e que relatam resultados extremamente semelhantes aos meus.

Como descrevi em detalhe em meu segundo livro, *A Cura através da Terapia de Vidas Passadas*, essa terapia pode ser benéfica a muitos pacientes, especialmente aos portadores de desordens emocionais e psicossomáticas.

A terapia de regressão é também extremamente útil no reconhecimento e interrupção de comportamentos destrutivos recorrentes, tais como o abuso de drogas ou de álcool e problemas de relacionamento.

Muitos dos meus pacientes recordam hábitos, traumas e relações abusivas que não só ocorreram em suas vidas passadas, mas que estão ocorrendo novamente na vida atual. Por exemplo, uma paciente lembrava-se de um marido violentamente agressivo em uma vida passada que voltara, na sua vida atual, no papel de seu pai violento. Um casal que vivia brigando descobriu que se haviam matado um ao outro em quatro vidas anteriores. As histórias e suas modalidades continuam interminavelmente.

Quando o comportamento recorrente é reconhecido, quando as causas são compreendidas, pode ser interrompido. Não há sentido em continuar o sofrimento.

Nem o terapeuta nem o paciente precisam acreditar em vidas passadas para que a técnica e o processo da terapia de regressão funcionem. Mas, se tentarem acreditar, o resultado costuma ser a melhora clínica.

E sempre ocorre certo desenvolvimento espiritual.

⭐ ⭐ ⭐

Certa vez, fiz a regressão de um sul-americano que se lembrou de uma existência cheia de culpa, por ter participado da equipe que ajudou a desenvolver e finalmente fez cair a bomba atômica em Hiroshima para pôr fim à Segunda Guerra Mundial. Hoje, radiologista de um importante hospital, este homem usa a radioatividade e a moderna tecnologia para salvar vidas, e não para eliminá-las. Nesta vida, ele é um homem delicado, belo e cheio de amor.

Este é um exemplo de como um espírito pode evoluir e transformar-se, mesmo em meio à mais ignóbil das existências. É o aprendizado que é importante, não o julgamento. Ele aprendeu com a sua existência durante a Segunda Guerra Mundial e aplicou os seus talentos e conhecimentos para ajudar outros espíritos na existência atual. O sentimento de culpa decorrente de sua primeira vida não é importante. O que importa é aprender com o passado, não ruminá-lo e sentir-se culpado por ele.

Segundo uma pesquisa de opinião realizada em 18 de dezembro de 1994 por um consórcio do USA Today, da CNN e do Gallup, a crença na reencarnação vem aumentando nos Estados Unidos, país que fica atrás de quase todo o resto do mundo nessa área. O percentual de adultos norte-americanos que acreditam na reencarnação é hoje de 27%, em relação a 21% em 1990.

E tem mais. O percentual dos que acreditam que pode haver contato com os mortos aumentou de 18% em 1990 para 28% em dezembro de 1994. Noventa por cento acreditam que existe um Céu, e 79% acreditam em milagres.

Quase posso ouvir o aplauso dos espíritos.

4

"Assim, a idéia da reencarnação contém uma explicação mais reconfortante da realidade, mediante a qual o pensamento indiano supera dificuldades que deixam perplexos os pensadores europeus".

Albert Schweitzer

A primeira experiência de Elizabeth com a regressão ocorreu na semana seguinte. Coloquei-a rapidamente em profundo estado de hipnose, empregando um método de indução rápida a fim de contornar os bloqueios e obstáculos que a mente consciente costuma erigir.

A hipnose é um processo de concentração focalizada, mas o ego, a mente tem a capacidade de interferir nessa concentração, evocando pensamentos que a distraem. Utilizando uma técnica de indução rápida, consegui pôr Elizabeth em profundo estado hipnótico dentro de um minuto.

Eu lhe dera uma fita com exercícios de relaxamento que ela deveria ouvir em casa durante a semana entre as consultas. Gravara essa fita visando ajudar os meus pacientes no uso das técnicas de auto-hipnose. Verifiquei que quanto mais eles praticam em casa, mais profunda parece ser a hipnose no consultório. A fita ajuda também os pacientes a relaxar o corpo e geralmente a dormir.

Elizabeth tentou escutar a fita em casa, mas não conseguiu relaxar. Sentia-se ansiosa demais. E se acontecesse alguma coisa? Isso a preocupava, pelo fato de morar só e não haver ninguém que a socorresse.

A mente "protegia-a", deixando que os pensamentos do dia-a-dia a ocupassem, distraindo-a do conteúdo da fita. Nervosismo e pensamentos impediam-na de concentrar-se.

Quando ela contou a experiência que tivera em casa com a fita, decidi usar um método de hipnose mais rápido que o comum, a fim de contornar os obstáculos que a mente e os temores criavam.

A técnica mais comumente utilizada para induzir o transe hipnótico é o chamado Relax Progressivo. Começando por desacelerar a respiração da paciente, o terapeuta deixa-a profundamente relaxada, instruindo-a a relaxar os músculos lentamente e em seqüência. Em seguida, pede-lhe que visualize ou imagine cenas bonitas e tranqüilizantes. Empregando técnicas como a contagem regressiva, o terapeuta ajuda a paciente a alcançar um grau ainda mais profundo de hipnose.

A essa altura, a paciente está em transe hipnótico leve ou moderado, que o terapeuta pode aprofundar se quiser. Todo o processo leva cerca de quinze minutos.

Durante esses quinze minutos, porém, a mente da paciente pode interromper o processo hipnótico – pensando, analisando ou debatendo, em vez de relaxar e seguir as sugestões que lhe são feitas.

As pessoas que foram treinadas a pensar de modo lógico,

linear e altamente racional costumam permitir que essa tagarelice da mente perturbe o processo. Embora eu achasse que Elizabeth podia mergulhar profundamente no estado hipnótico, qualquer que fosse a técnica que eu usasse, decidi recorrer ainda assim a um método mais rápido, a fim de evitar incertezas.

Disse-lhe que se inclinasse para a frente na cadeira, mantendo o olhar fixo em meus olhos, apoiando a palma da mão direita na palma de minha mão.

Eu estava de pé diante dela e falava-lhe enquanto ela pressionava a minha mão, o corpo inclinado ligeiramente para a frente na cadeira, os olhos sempre fixos nos meus.

De repente, sem aviso prévio, retirei a mão em que ela se apoiava. Perdido o apoio, o corpo inclinou-se para a frente. Nesse exato momento, eu disse bem alto:

– Durma!

Imediatamente, o corpo de Elizabeth voltou a cair sobre a cadeira. Já estava em profundo transe hipnótico. Embora a sua mente consciente se preocupasse com a súbita perda de equilíbrio, a minha ordem de dormir fora assimilada diretamente e sem interferência pelo subconsciente. Ela caiu em um estado de "sono" consciente que equivale à hipnose.

– Você pode agora lembrar tudo, lembrar todas as experiências que teve na vida – disse-lhe eu.

Podíamos agora começar a jornada regressiva no tempo.

Eu desejava verificar qual dos sentidos predominava em suas recordações, de modo que lhe pedi para voltar à sua última refeição agradável e disse-lhe que usasse todos os seus sentidos ao recordar a refeição. Ela lembrou-se do cheiro, do gosto, da aparência e da sensação causada por um jantar recente, de modo que eu sabia agora que ela era capaz de lembrar-se vividamente das coisas. Aparentemente, em seu caso, o sentido da visão predominava.

E então levei-a de volta à infância, para ver se ela era capaz de lembrar um período plácido de sua meninice em Minnesota. Os seus lábios se abriram num sorriso contente de menina pequena.

– Estou na cozinha com a minha mãe. Ela parece muito jovem. Eu também tenho pouca idade, cerca de cinco anos. E estamos cozinhando. Estamos fazendo tortas ... e bolinhos. É divertido. Minha mãe está feliz. Vejo tudo, o avental que ela está usando, o cabelo penteado para cima. E sinto os cheiros. São esplêndidos.

– Vá a outro aposento da casa e diga-me o que vê – disse-lhe.

Ela foi para a sala e descreveu os grandes móveis de madeira, os pisos bem cuidados. E em seguida um retrato da mãe, uma foto emoldurada sobre uma mesa de madeira escura, ao lado de uma poltrona confortável.

– Vejo minha mãe nesse retrato – continuou Elizabeth. – Ela está linda ... tão jovem. Vejo o colar de pérolas que ela está usando. Ela adora essas pérolas. Usa-as em ocasiões especiais. O belo vestido branco ... os cabelos escuros ... os olhos tão brilhantes e sadios.

– Ótimo – disse eu. – É bom saber que você se lembra dela e que consegue vê-la com tanta clareza.

A certeza virtual de lembrar-se de uma refeição recente ou de uma cena da infância ajuda a reforçar a confiança da paciente em sua capacidade de evocar lembranças. Essas lembranças mostram-lhe que a hipnose funciona e que não é tão assustadora, que o processo pode até ser agradável. A paciente vê que as lembranças evocadas são às vezes mais vívidas e detalhadas que as lembranças da mente consciente, em estado de vigília.

Após sair do transe, o paciente quase sempre guarda conscientemente as lembranças evocadas durante a hipnose. Só raramente os pacientes estão em estado tão profundo que esquecem a experiência que tiveram. Embora eu freqüentemente grave as sessões em fitas para assegurar a exatidão do que foi dito e para consultá-las quando necessário, as fitas são mais para mim do que para os pacientes, cuja lembrança permanece vívida.

– Agora iremos mais atrás no tempo. Não se preocupe com o que é imaginação, o que é fantasia, o que é metáfora ou símbolo, lembrança real ou alguma combinação de todas essas coisas – disse-lhe eu. – Simplesmente permita-se sentir a experiência. Procure não deixar que a sua mente julgue, critique ou até mesmo comente a respeito do que você está vendo. Simplesmente sinta a experiência. Pode criticar depois. Pode analisá-la mais tarde. Por enquanto, simplesmente deixe-se ter a experiência.

E prossegui:

– Agora vamos voltar ao ventre materno, ao período intrauterino, pouco antes de você nascer. Não importa o que lhe venha à mente. Simplesmente atenha-se ao que sentiu.

Fiz a contagem regressiva, de cinco a um, aprofundando o seu estado de hipnose.

Elizabeth sentiu-se dentro do ventre da mãe. Era quente e seguro e ela se sentia amada pela mãe. Um lágrima desceu pelo canto de seus olhos fechados.

Lembrou-se de como os pais a desejavam, especialmente a mãe. As lágrimas eram de felicidade e saudade.

Elizabeth já podia sentir o amor com que o seu nascimento seria recebido e isso a fazia sentir-se muito feliz.

Sua experiência no ventre materno não prova positivamente que a lembrança seja exata, ou mesmo que seja uma lembrança completa. Mas para Elizabeth as sensações e emoções fortes e poderosas eram reais, e isso fez com que ela se sentisse bem melhor.

Uma das minhas pacientes, sob hipnose, lembrou-se de ter nascido como gêmea. O outro bebê morrera. Contudo, a paciente não sabia que havia tido uma irmã gêmea. Os pais nunca lhe haviam contado que a irmã nascera morta. Quando ela contou aos pais a experiência que tivera sob hipnose, eles confirmaram a completa exatidão de suas lembranças. Ela havia realmente tido uma irmã gêmea.

Geralmente, porém, é difícil confirmar as lembranças que a paciente traz do ventre materno.

– Está pronta agora para recuar mais no tempo? – indaguei, esperando que ela não se houvesse assustado com a intensidade de suas emoções.

– Estou – respondeu ela.

– Muito bem – disse eu. – Agora vamos recuar no tempo e ver se você se lembra de alguma coisa antes do nascimento, seja em um estado místico ou espiritual, em outra dimensão, ou mesmo em uma vida passada. Não importa o que lhe venha à mente. Simplesmente deixe-se ter a experiência.

Fiz com que ela imaginasse estar entrando em um elevador e apertando o botão enquanto eu contava de cinco a um. O elevador viajou de volta no tempo e no espaço e a porta se abriu quando eu cheguei ao número "um". Disse-lhe que saísse do elevador e se unisse ao vulto, à cena, à experiência que havia no outro lado da porta. Mas não foi o que eu esperava.

– Está tão escuro – disse ela, com a voz assustada. – Eu ... eu caí do barco. Está fazendo tanto frio! É horrível.

Interrompi-a imediatamente:

– Se você se sente mal, flutue acima da cena e veja-a como se estivesse assistindo a um filme. Mas, se não se sente mal, continue onde está. Veja o que acontece. Veja o que lhe sucede.

A experiência era assustadora, de modo que ela flutuou para cima. Elizabeth viu-se na forma de um adolescente. Tendo caído de um barco durante uma tempestade, à noite, esse menino se afogara nas águas escuras. Subitamente, sua respiração se acalmou visivelmente e ela pareceu mais tranqüila. Havia se separado do corpo.

– Deixei aquele corpo – disse ela, com a simplicidade de quem apenas relata um fato.

Tudo havia acontecido com extrema rapidez. Antes que eu tivesse tempo de examinar aquela existência, ela já havia saído daquele corpo. Desejava que ela revisse o que acontecera, me dissesse o que podia ver e compreender.

– O que você estava fazendo no barco? – indaguei, tentando recuar no tempo, muito embora ela já estivesse fora do corpo.

– Eu estava viajando com o meu pai – disse ela. – E houve uma súbita tempestade. O barco começou a fazer água. Estava muito instável e jogando fortemente. As ondas eram enormes e eu fui atirada para fora.

– O que aconteceu com as outras pessoas?

– Não sei – disse ela. – Fui jogada para fora do barco. Não sei o que aconteceu com elas.

– E que idade você tinha quando isso aconteceu?

– Não sei – respondeu ela. – Cerca de doze ou treze anos. Um jovem adolescente.

Elizabeth não parecia muito desejosa de oferecer mais detalhes. Deixara cedo aquela vida, tanto na existência passada quanto em meu consultório. Não podíamos obter mais informações e eu a despertei.

Na semana seguinte, Elizabeth parecia menos deprimida, muito embora eu não houvesse receitado qualquer antidepressivo para tratar de seus sintomas de pesar e depressão.

– Sinto-me mais leve – disse ela. – Sinto-me mais livre e a escuridão já não me incomoda tanto.

Elizabeth sempre tinha se sentido inquieta no escuro e evitava sair sozinha à noite. Em casa, costumava manter todas as luzes acesas. Mas na semana anterior notara certa melhora neste particular. Eu também não sabia que nadar a deixava intranqüila e um tanto ansiosa, mas na semana anterior pôde passar algum tempo na piscina do condomínio onde morava. Embora suas principais preocupações não fossem estas, agradava-lhe ver que estes sintomas estavam melhorando.

Muitos de nossos temores têm base no passado e não no futuro. Muitas vezes as coisas que mais tememos aconteceram na infância ou em uma vida passada. Uma vez que as esquecemos ou só vagamente as lembramos, receamos que o evento traumático aconteça em nosso futuro.

Mas Elizabeth continuava muito triste e só havíamos encontrado a mãe dela em uma recordação da infância. A busca iria continuar.

☆ ☆ ☆

A história de Elizabeth é fascinante, como também o é a de Pedro. No entanto, as histórias de ambos não são singulares. Muitos dos meus pacientes sofriam de profundo pesar, de medos e fobias, de relacionamentos frustrantes. Muitos haviam encontrado os seus entes queridos em outros tempos e outros lugares. Muitos conseguiram curar suas aflições ao recordarem vidas passadas e atingirem estados espirituais.

Algumas das pessoas que fizeram regressão comigo são celebridades. Outras são pessoas aparentemente comuns cujas histórias são extraordinárias. Suas experiências refletem os mesmos temas universais que estão presentes na jornada que se desenrola quando Elizabeth e Pedro se aproximam na encruzilhada do destino.

Percorremos todos o mesmo caminho.

Em novembro de 1992, fui a Nova York para fazer regressão com Joan Rivers, como parte de um segmento de seu programa de comentarista de televisão. Havíamos gravado a sessão de regressão em uma suíte de hotel, vários dias antes da gravação ao vivo do programa de Joan. Ela chegou tarde, atrasada por causa de Howard Stern, o comentarista de rádio que seria o seu desinibido convidado no programa daquela noite. Não estava tranqüila, trazia ainda a maquiagem da TV, usava jóias e um belo suéter vermelho.

Em nossas conversas antes da regressão, fiquei sabendo que ela ainda sofria com a morte da mãe e do marido. Embora a mãe houvesse falecido anos antes, o relacionamento entre ambas tinha sido muito intenso e Joan continuava a sentir grande falta dela. A morte do marido havia sido mais recente.

Joan estava sentada rigidamente em uma confortável poltrona e as câmaras começaram a registrar uma cena extraordinária.

Em pouco tempo, Joan afundou na poltrona, o queixo apoiado precariamente na palma da mão. Sua respiração se fez mais lenta e ela caiu em profundo estado hipnótico.

– Fui mesmo muito fundo – disse ela mais tarde.

A regressão começou e nós dois recuamos no tempo. Sua primeira parada foi na idade de quatro anos. Ela se recordava de que havia tensão em casa, provocada por uma visita da avó. Joan viu-se vividamente.

– Estou usando um vestido xadrez, com sapatinhos de salto baixo e meias brancas.

Passamos a uma época mais remota. O ano era 1835 e ela estava na Inglaterra, onde era uma mulher de classe alta.

– Tenho cabelos negros e sou mais alta e esbelta – observou ela.

Era mãe de três filhos.

– Uma de minhas filhas é sem dúvida a minha mãe – acrescentou.

Havia reconhecido que uma de suas filhas naquela existência, uma menina de seis anos, reencarnara como sua mãe na vida atual.

– Como sabe que é ela? – perguntei.

– Simplesmente sei que é ela – respondeu Joan enfaticamente.

O reconhecimento de um espírito muitas vezes transcende a descrição verbal. Há um saber intuitivo, um conhecimento que vem do coração. Joan Rivers sabia que aquela menina e a sua mãe eram o mesmo espírito.

Não reconheceu o marido da mulher inglesa, que também

era alto e esbelto, como alguém de sua vida atual.

– Ele está usando uma cartola aveludada – especificou ela. – Estamos passeando em um grande parque com jardins.

Joan começou a chorar e queria sair daquela época. Uma de suas filhas estava à morte.

– É ela! – disse, entre soluços. – Referia-se à filha que reconheceu como sua mãe na vida presente. – Horrível ... horrivelmente triste.

A menina morreu, e saímos daquela época e daquele local. Recuamos ainda mais no tempo, chegando ao século XVIII.

– Estamos em mil e setecentos e tantos ... Sou um fazendeiro, um homem.

A mudança de sexo causou-lhe surpresa, mas aquela existência havia sido mais feliz.

– Sou um bom fazendeiro por gostar tanto da terra – disse ela.

Em sua existência atual, Joan adora cuidar dos seus jardins, onde encontra paz e pode descansar da vida agitada de comentarista de televisão.

Acordei-a suavemente. A mágoa que sentia começava a passar. Ela compreendia que a sua querida mãe, que fora sua filha pequena na Inglaterra de 1835, era uma alma irmã que a acompanhava ao longo dos séculos. Embora estivessem agora mais uma vez separadas, Joan sabia que iriam encontrar-se outra vez, em outro tempo e em outro lugar.

☆ ☆ ☆

Elizabeth, que não sabia da experiência de Joan, veio procurar-me em busca de cura semelhante. Será que também ela encontraria a sua mãe querida?

Enquanto isso, no mesmo consultório e na mesma poltrona, separado de Elizabeth pelo minúsculo hiato de alguns dias, outro drama se desenrolava.

Pedro estava sofrendo. Sua vida era perpassada de tristeza, segredos que não contara a ninguém, e desejos ocultos.

E o encontro mais importante de sua vida se aproximava, silenciosa e rapidamente.

5

"E a sua dor não passava.
Finalmente, deu à luz outro menino, e grande
foi a alegria do pai, que exclamou: 'Um filho!'
Naquele dia, ele foi o único a sentir-se tão feliz,
pois a mãe, prostrada e pálida, jazia deitada, o
espírito entorpecido ... E gemeu, angustiada,
pensando menos no novo filho do que no filho ausente:
'O meu anjo está morto e eu não estou ao seu lado!'
Foi então que, falando através
da criança que tinha nos braços,
ela ouviu mais uma vez a voz adorada:
'Sou eu que estou aqui – mas não contes a ninguém!'
E a criança fitou seu rosto."

Victor Hugo

Pedro é um mexicano extraordinariamente simpático, claro, de cabelos castanhos e olhos azuis que às vezes parecem quase verdes. O charme e a loquacidade fácil escondiam a dor que ele sentia pela morte do irmão, falecido dez meses antes em um terrível acidente de automóvel na Cidade do México.

Muitas pessoas que acabaram de perder um parente ou

amigo me procuram na esperança de compreender melhor a morte ou até mesmo fazer novo contato com o ente querido morto. Este contato às vezes ocorre em uma vida passada, no estado espiritual entre uma vida e outra, ou em um ambiente místico, fora dos limites do corpo e da geografia física.

Quer sejam reais ou imaginários, esses encontros espirituais são dotados de uma força que é vividamente sentida pelo paciente e pode mudar-lhe a vida.

A evocação difícil e quase sempre detalhada de vidas anteriores não representa a realização de um desejo. As imagens não são meramente instigadas pela necessidade do paciente ou porque poderiam fazê-lo sentir-se melhor. O que é lembrado é o que aconteceu.

A especificidade e a exatidão dos detalhes relembrados, a profundidade da emoção demonstrada, a cura de sintomas clínicos e o poder de transformar a vida do paciente confirmam a realidade da lembrança.

O aspecto incomum da história de Pedro eram os dez meses transcorridos desde a morte do irmão. Depois desse tempo, a dor geralmente diminui. A longa duração do sofrimento de Pedro indicava um desespero muito profundo.

De fato, sua tristeza ia muito além da morte do irmão. Como ficaríamos sabendo em sessões subseqüentes, ele se separara de entes queridos ao longo de muitas existências e era especialmente sensível à perda de um amor. A morte súbita do irmão fazia-o lembrar, nos mais profundos recessos da mente, de perdas ainda maiores, ainda mais trágicas, ocorridas ao longo de milênios.

Na teoria psiquiátrica, cada perda que experimentamos desperta sentimentos reprimidos ou esquecidos e lembranças de perdas anteriores. Nossa dor é intensificada pelo pesar acumulado de perdas passadas.

Em minha pesquisa de vidas anteriores, eu vinha constatando que o ambiente em que essas perdas ocorrem precisa ser ampliado. Não podemos voltar unicamente à infância. Perdas mais antigas, ocorridas em vida passadas, precisam ser incluídas. Algumas de nossas perdas mais trágicas e de nossas dores mais profundas aconteceram antes do nascimento.

Acima de tudo, eu precisava saber mais acerca da vida de Pedro. Precisava de marcos que me orientassem ao longo das sessões futuras.

– Fale-me de você – pedi. – De sua infância, de sua família e do que mais você considere importante. Diga-me tudo o que acha que eu deva saber.

Pedro deixou escapar um profundo suspiro e recostou-se na poltrona. Afrouxou o nó da gravata e desabotoou o colarinho. Sua linguagem corporal me dizia que isso não lhe seria fácil.

Aquele moço pertencia a uma família muito privilegiada, tanto financeira quanto politicamente. O pai era dono de uma grande firma e de várias fabricas. A família morava em uma colina, acima da cidade, em uma casa espetacular situada em um condomínio seguro, cercado e fechado por um portão.

Pedro freqüentara as melhores escolas particulares da cidade. Estudara inglês desde a infância e, depois de morar em Miami vários anos, o seu inglês era excelente. Era o mais jovem de três filhos. A irmã era a mais velha e, embora tivesse quatro anos mais do que ele, Pedro mostrava-se extremamente protetor em relação a ela. O irmão era dois anos mais velho e muito apegado a Pedro.

O pai de Pedro trabalhava com afinco e geralmente só chegava em casa tarde da noite. A mãe, as criadas e os empregados administravam a casa e cuidavam dos filhos.

Pedro estudara administração na universidade. Teve várias namoradas, mas com nenhuma delas estabelecera uma ligação muito séria.

– Por algum motivo, minha mãe nunca demonstrou muito apreço pelas moças que eu namorava – acrescentou ele. – Sempre encontrava nelas algum defeito e vivia me dizendo isso.

Nesse ponto, lançou em torno de si um olhar inquieto.

– O que há? – perguntei.

Ele não respondeu imediatamente. Engoliu em seco várias vezes antes de começar:

– No meu último ano de universidade, tive um caso com uma mulher mais velha que eu – disse ele lentamente. – Ela era mais velha ... e casada.

Fez uma pausa.

– Tudo bem – disse eu depois de alguns instantes, mais para quebrar o silêncio do que para outra coisa. O seu embaraço era visível e, apesar dos meus muitos anos de clínica, a sensação não me agradava.

– O marido dela descobriu?

– Não – respondeu ele. – Nunca soube.

– As coisas poderiam ter sido piores – observei, dizendo o óbvio, tentando aliviá-lo.

– Houve mais – acrescentou ele enfaticamente.

Assenti, esperando que ele prosseguisse.

– Ela engravidou... houve um aborto. Os meus pais não souberam.

Mantinha os olhos abaixados. Ainda sentia vergonha e culpa, anos depois do caso e do aborto.

– Compreendo – disse eu. – Posso dizer-lhe o que aprendi a respeito de abortos?

Ele aceitou. Sabia de minha pesquisa na área da hipnose e de vidas passadas.

– Um aborto ou uma gravidez fracassada costuma envolver um acordo entre a mãe e o espírito que iria encarnar na criança. Ou o corpo da criança não seria suficientemente sadio para realizar os seus planos na vida futura, ou a época era inadequada às suas finalidades, ou então a situação havia mudado com a deserção do pai, quando os planos da criança ou da mãe exigiam a figura paterna. Compreende?

– Sim – disse ele, mas não me parecia convencido.

Eu sabia que a sua educação fortemente católica poderia tornar mais difícil a eliminação do seu sentimento de culpa e vergonha. Às vezes, as nossas velhas crenças impedem a aquisição de novos conhecimentos.

Voltei aos fatos básicos.

– O que vou lhe contar é produto de minha própria pesquisa – expliquei – não de algo que eu tenha lido ou ouvido de outras pessoas. Essa informação vem de meus pacientes, geralmente quando eles estão profundamente hipnotizados. Às vezes, as palavras são deles, e outras vezes parecem vir de uma fonte superior.

Pedro tornou a assentir, sem nada dizer.

– Os meus pacientes me dizem que a alma não entra no corpo imediatamente. Mais ou menos na época da concepção, o espírito faz uma reserva. Nenhum outro espírito pode entrar naquele corpo. O espírito que reservou o corpo daquela criança pode então entrar e sair do corpo à vontade. Não fica limitado. É algo parecido com o que acontece com pessoas que estão em coma.

Pedro fez um gesto de cabeça, como quem entendia, mas ainda sem falar, embora ouvisse atentamente.

– Durante a gravidez, o espírito se apega cada vez mais ao corpo da criança – continuei – mas esse apego só é completo no momento do nascimento, seja um pouco antes, durante ou imediatamente depois.

Ressaltei esse conceito juntando as mãos na base das palmas, formando com elas um ângulo de noventa graus. Em seguida, fechei lentamente as mãos de modo que o resto de minhas palmas e os meus dedos se uniram, como no símbolo universal da oração, denotando o gradual apego da alma em relação ao corpo.

– Não se pode prejudicar ou matar um espírito – acrescentei. – O espírito é imortal e indestrutível. Encontrará um meio de voltar, se este for o seu plano.

– Que quer dizer? – indagou Pedro.

– Tive casos em que o mesmo espírito, depois de uma gravidez frustrada ou um aborto, voltou para os mesmos pais no corpo do próximo bebê.

– Incrível! – disse Pedro.

O seu rosto parecia agora menos perturbado, não tão culpado ou embaraçado.

– Nunca se sabe – acrescentei.

Após alguns momentos de reflexão, Pedro suspirou novamente e cruzou as pernas, alisando o vinco das calças. Podíamos voltar a falar de sua história.

– O que aconteceu depois disso? – perguntei.

– Depois de me formar, voltei para casa. De início, trabalhei nas fábricas, aprendendo mais a respeito da empresa. Mais tarde, vim para Miami a fim de administrar os negócios aqui e no exterior. E aqui fiquei – explicou ele.

– E como vão os negócios?

– Muito bem, mas me tomam muito tempo.

– Isso lhe causa problemas?

– Não é bom para a minha vida amorosa – respondeu ele, sorrindo.

Não estava propriamente brincando. Aos vinte e nove anos, ele achava estar passando da idade de encontrar o amor, casar e criar uma família. Correndo contra o tempo, mas sem perspectivas.

– Mantém relações com mulheres?

– Sim – respondeu ele – mas nada especial. A verdade é que nunca me apaixonei ... Espero poder me apaixonar algum dia – acrescentou, com certa preocupação na voz. – Muito em breve terei de voltar para o México e viver lá – prosseguiu, com ar pensativo – a fim de assumir os deveres do meu irmão. Talvez encontre alguém por lá – acrescentou, sem muita convicção.

Talvez, pensei eu, as críticas que a mãe fazia às namoradas de Pedro e a sua experiência com a mulher casada e com o aborto fossem obstáculos psicológicos a um relacionamento afetuoso e íntimo. Voltaríamos mais tarde a essas questões, pensei.

– E como vai a sua família no México? – perguntei, atenuando o tom da conversa enquanto obtinha mais informações.

– Eles vão bem. Meu pai está com mais de setenta anos,

de modo que o meu irmão e eu... – Pedro calou-se abruptamente. Engoliu em seco e respirou profundamente antes de continuar. – De modo que eu agora tenho maior responsabilidade na empresa – concluiu em voz tranqüila.

E prosseguiu:

– Minha mãe também vai bem. – Fez uma pausa antes de alterar a resposta: – O fato é que nem ele nem ela conseguem enfrentar muito bem a morte do meu irmão. O acidente deixou-os muito abatidos. Envelheceram de repente.

– E sua irmã?

– Também está triste, mas tem o marido e os filhos – explicou Pedro.

No restante da consulta, constatei que Pedro estava em excelentes condições físicas. Queixava-se somente de uma dor intermitente no pescoço e no ombro esquerdo, mas o problema era antigo e os médicos não haviam encontrado coisa alguma fora do comum.

– Aprendi a viver com o problema – disse ele.

Apercebi-me da passagem do tempo. Olhando o relógio, vi que havíamos ultrapassado em vinte minutos a hora marcada. O meu despertador interno costuma ser mais confiável, mas falhara daquela vez.

"Devo ter ficado realmente absorvido pelo drama da história de Pedro", pensei comigo mesmo, sem saber que outros dramas ainda mais absorventes só agora começavam a desenrolar-se.

⋆ ⋆ ⋆

O vietnamita Thich Nhat Hanh, monge budista e filósofo, nos ensina a saborear uma boa xícara de chá. Temos de estar completamente conscientes para sentir prazer com o chá. Somente na consciência do momento presente as nossas mãos podem sentir o agradável calor da xícara. Somente no presente podemos sentir o aroma e a doçura, apreciar o requinte do sabor. Se estivermos ruminando acerca do passado, a experiência de saborear a xícara de chá nos fugirá completamente. Quando olharmos a xícara, o chá já acabou.

A vida é assim. Se não estivermos inteiramente no momento presente, olharemos em nossa volta e ele terá passado. Teremos deixado de sentir o contato, o aroma, o requinte e a beleza da vida. Esta parecerá estar nos deixando para trás.

O passado terminou. Devemos aprender com ele e deixá-lo ir. O futuro ainda não chegou. Devemos fazer planos, mas não perder tempo em preocupar-nos com ele. De nada vale preocupar-nos. Quando paramos de ruminar a respeito do que já aconteceu, quando paramos de preocupar-nos com o que talvez nunca aconteça, então estaremos vivendo o presente e começaremos a sentir a alegria de viver.

6

"Acredito que, quando uma pessoa morre,
a Alma volta a este planeta,
em nova aparência carnal.
Outra mãe o faz nascer.
Com pernas mais fortes e cabeça mais leve,
A velha alma se põe a caminho novamente.

John Masefield

Pedro voltou ao meu consultório uma semana depois, para a sua segunda sessão. O pesar ainda o atormentava, privando-o dos prazeres simples e interrompendo-lhe o sono. Começou por contar-me um sonho fora do comum que tivera duas vezes na semana passada.

– Eu estava sonhando a respeito de outra coisa quando, de repente, me apareceu uma mulher mais velha.

– Reconheceu a mulher? – indaguei.

– Não. – A resposta foi imediata. – Ela parecia ter sessenta e pouco ou setenta e poucos anos. Trajava um belo vestido branco, mas não estava em paz. Havia angústia em seu rosto. Estendia-me os braços e repetia sempre as mesmas palavras.

– O que dizia?

– "Segure-lhe a mão ... segure-lhe a mão. Você saberá. Estenda-lhe o braço. Segure-lhe a mão". Era isso que ela dizia.

– Segure a mão de quem?

– Não sei. Ela dizia apenas: "Segure-lhe a mão".

– Acontecia algo mais no sonho?

– Nada de importante. Mas notei que ela trazia na mão uma pena branca.

– O que significa isso? – perguntei.

– O médico é você – lembrou-me ele.

Sim, pensei. O médico sou eu. Eu sabia que um símbolo pode significar muitas coisas, dependendo das experiências singulares de quem sonha, bem como dos arquétipos universais descritos por Carl Jung ou dos símbolos populares de Sigmund Freud.

De certa maneira, aquele sonho não me parecia freudiano.

Respondi ao comentário de "você é o médico" e à necessidade implícita de uma resposta:

– Não sei ao certo – disse honestamente. – Poderia significar uma porção de coisas. A pena branca poderia simbolizar a paz ou um estado espiritual ou muitas outras coisas. Seria preciso explorar o sonho – acrescentei, relegando ao futuro a sua interpretação.

– Tive o sonho novamente ontem à noite – disse Pedro.

– A mesma mulher?

– A mesma mulher, as mesmas palavras, a mesma pena – esclareceu ele. – "Segure-lhe a mão ... segure-lhe a mão. Estenda-lhe o braço. Segure-lhe a mão".

– Talvez as respostas venham durante as regressões – sugeri. – Você está pronto?

Ele assentiu e começamos. Eu já sabia que Pedro podia

atingir um profundo nível de hipnose, pois havia observado os seus olhos.

A capacidade de virar os olhos para cima, tentando olhar para o topo da cabeça, e depois deixar que as pálpebras se abaixem lentamente enquanto os olhos continuam a olhar para cima, tem íntima correlação com a capacidade de ser profundamente hipnotizado.

Calculo a parte da esclerótica, ou o branco dos olhos, que aparece quando estes atingem o ápice. Observo também a porção branca que aparece quando as pálpebras se fecham lentamente. Quanto maior essa porção branca, mais fundo a pessoa pode ir na hipnose.

Os olhos de Pedro haviam quase desaparecido dentro da cabeça quando o testei. Somente uma minúscula porção da borda inferior da íris, a parte colorida dos olhos, podia ser vista. Quando as pálpebras desceram, fechando-se, a íris não desceu nem um pouco. Ele podia atingir um estado de transe profundo.

Portanto, fiquei ligeiramente surpreso quando Pedro encontrou dificuldade em relaxar. Era evidente que a sua mente estava interferindo. Às vezes, os pacientes habituados a uma posição de comando relutam inicialmente em se entregar.

– Simplesmente relaxe – aconselhei. – Não se preocupe com o que lhe vem ou não lhe vem à mente. Não importa que você experimente ou não alguma coisa hoje. Estamos apenas praticando.

Eu procurava remover qualquer pressão que ele estivesse sentindo, pois sabia que ele desejava desesperadamente encontrar o irmão.

À medida que eu falava, Pedro ia relaxando cada vez mais. Começou a entrar em um nível mais profundo. A respiração tornou-se mais lenta e os seus músculos amoleceram. Ele parecia afundar cada vez mais na poltrona de couro branco. Os olhos se moveram sob as pálpebras fechadas quando ele começou a visualizar imagens.

Fiz com que ele recuasse lentamente no tempo.

– De início, simplesmente recue no tempo e recorde a refeição mais agradável de sua vida. Use todos os seus sentidos. Lembre-se dos menores detalhes. Veja quem estava lá com você. Recorde os seus sentimentos.

Ele seguiu minhas instruções, mas lembrou-se de várias refeições e não apenas uma. Continuava procurando controlar a situação.

– Relaxe ainda mais profundamente – insisti. – A hipnose é apenas uma forma de concentração focalizada. Você não chega a perder o controle. Está sempre comandando a situação. – E acrescentei: – Toda hipnose é uma auto-hipnose.

A respiração de Pedro tornou-se ainda mais profunda.

– Você sempre controla o que acontece – disse-lhe eu. – Se sentir ansiedade quando tem uma lembrança ou experiência, pode simplesmente flutuar, subir e observar a cena à distância, como se estivesse assistindo a um filme. Ou pode sair inteiramente da cena e ir aonde quiser – visualizar uma praia ou a sua casa, ou qualquer outro lugar onde se sinta seguro. Se sentir muito desconforto, pode até abrir os olhos se quiser, e estará de volta aqui, acordado e consciente.

E acrescentei:

– Não estamos em uma Guerra nas Estrelas. Em parte alguma você é atingido por um raio. Trata-se apenas de lembranças como quaisquer outras, da mesma forma que você se lembrou das refeições agradáveis. Você está sempre no controle da situação.

Foi então que ele se entregou. Levei-o de volta à infância, e ele esboçou um largo sorriso.

– Estou vendo os cães e os cavalos da fazenda – disse ele.

Os pais tinham uma fazenda a poucas horas da cidade, e muitos fins de semana e feriados eram passados ali.

A família estava reunida. O irmão estava vivo, vibrante, risonho. Permaneci em silêncio durante alguns instantes, deixando que Pedro degustasse melhor a sua recordação da infância.

– Você está pronto a recuar ainda mais no tempo? – indaguei.

– Estou.

– Ótimo. Vejamos se você consegue lembrar-se de alguma coisa que aconteceu em uma vida passada.

Fiz a contagem regressiva de cinco até um, enquanto Pedro se visualizava atravessando uma porta magnífica que levava a outro tempo e outro lugar, entrando em uma vida passada.

Assim que cheguei à contagem de um, vi que os seus olhos tremulavam fortemente. Sentia-se instantaneamente alarmado. Começou a soluçar.

– É horrível ... horrível! – Estava ofegante. – Foram todos mortos ... estão todos mortos.

Os restos dos cadáveres estavam espalhados por toda parte. O fogo havia destruído a aldeia e suas estranhas tendas arredondadas. Somente uma tenda permanecera intacta, estranhamente de pé na periferia da carnificina e da destruição. As bandeiras coloridas e grandes penas brancas tremulavam descontroladamente à luz fria do sol.

Todos os cavalos, todo o gado haviam desaparecido. Era evidente que ninguém sobrevivera àquele massacre. Os "covardes" do leste haviam feito aquilo.

– Nenhuma muralha, nenhum chefe guerreiro os protegerá de mim – jurava Pedro.

A vingança teria de vir depois. Por enquanto, ele estava entorpecido, desesperado, arrasado.

Ao longo dos anos, eu havia aprendido que as pessoas, muitas vezes na primeira regressão, gravitam em torno do evento mais traumático de determinada existência. Isto ocorre porque a emoção do trauma ficou gravada fortemente na psique e foi carregada pela alma para encarnações futuras.

Eu queria saber mais. O que acontecera antes dessa terrível experiência? O que acontecera depois?

– Recue no tempo dentro dessa mesma vida – insisti. – Volte a tempos mais felizes. O que lhe vem à lembrança?

– São muitas as *yurts* ... tendas. Somos um povo forte – respondeu ele. – Sou feliz aqui.

Pedro descreveu um povo nômade que caçava e criava gado. Os pais comandavam aquele povo, e ele era um exímio cavaleiro e caçador.

– Os cavalos são muito rápidos. São pequenos, de cauda comprida – disse ele.

Pedro havia casado com a moça mais bela do seu povo, alguém com quem ele brincara quando criança e a quem sempre amara. Poderia ter-se casado com a filha do chefe de um povo vizinho, mas casara-se por amor.

– Como se chama essa terra? – perguntei.

Ele hesitou.

– Creio que você a chamaria de Mongólia.

Eu sabia que a Mongólia provavelmente tinha um nome bem diferente quando Pedro estivera lá. A língua era completamente diferente. Então como se explica que Pedro conhecesse a palavra "Mongólia" naquela ocasião? A explicação é que, como estava recordando, as suas lembranças eram filtradas através de sua mente atual.

O processo é semelhante a assistir a um filme de cinema. A mente atual mantém-se muito consciente, vendo e comentando. A mente compara os personagens e os temas do filme com os da vida atual. O paciente é, ao mesmo tempo, o observador, crítico e astro do filme. Pode usar os seus conhecimentos atuais de história e geografia para ajudar a datar e localizar lugares e eventos. Durante todo o filme, pode permanecer em profundo estado de hipnose.

Pedro lembrava-se vividamente da Mongólia que existira há muitos séculos e, no entanto, podia falar inglês e responder às minhas perguntas enquanto recordava.

– Sabe qual era o seu nome nesse tempo?

Novamente ele hesitou.

– Não. O meu nome não me ocorre.

Pouco mais havia sucedido. O casal teve um filho, e o nascimento trouxe grande felicidade, não somente a Pedro e à esposa, mas também aos seus pais e ao resto do seu povo. Os pais da esposa haviam falecido vários anos antes do casamento, e ela era não apenas uma esposa para ele mas também uma filha para os sogros.

Pedro estava exausto. Não desejava voltar à aldeia devastada e ver novamente os restos de sua vida destruída, de modo que o despertei.

Quando a lembrança de uma vida passada é traumática e repleta de emoção, pode ser muito útil retornar a ela uma segunda vez, e talvez uma terceira vez. A cada repetição, a emoção negativa é atenuada e o paciente recorda ainda mais. Além disso, fica sabendo mais, uma vez que os bloqueios emocionais e as interferências diminuem. Eu sabia que Pedro tinha mais a aprender com essa vida antiga.

Pedro pretendia passar outros dois ou três meses para resolver os seus assuntos pessoais e comerciais em Miami. Tínhamos ainda bastante tempo para explorar em maior detalhe aquela existência na Mongólia. Tínhamos tempo de explorar também outras vidas. Não havíamos ainda encontrado o irmão. Em vez disso, ele encontrara outra série de perdas devastadoras: a esposa amada, o filho, os pais, a comunidade.

Eu o estava ajudando ou estava agravando ainda mais a sua carga? Só o tempo responderia.

⋆ ⋆ ⋆

Depois de um de meus seminários de treinamento, uma participante me contou uma história maravilhosa.

Desde menina, quando deixava pender a mão sobre a beirada da cama, outra mão afetuosa segurava a sua, e ela se sentia tranqüilizada, por mais ansiosa que estivesse. Muitas vezes, quando sua mão acidentalmente pendia para fora da cama e o toque da outra mão a surpreendia, ela inclinava num reflexo a cabeça para trás, e isso punha fim ao contato.

Ela sempre sabia quando procurar a outra mão a fim de sentir-se tranqüilizada. Naturalmente, não havia forma física alguma em torno ou embaixo da cama.

Ao crescer, a mão a acompanhou. Casou-se, mas nunca falou ao marido a respeito dessa experiência, por achá-la infantil.

Quando ficou grávida do primeiro filho, a mão desapareceu. Ela sentiu falta de sua companhia afetuosa e familiar. Não havia outra mão que segurasse a sua daquela mesma maneira cheia de amor.

O bebê nasceu, uma linda menina. Pouco depois do nascimento, estava deitada na cama com a filha, quando esta lhe segurou a mão. Um forte e súbito reconhecimento daquele antigo toque inundou-lhe a mente e o corpo.

O seu protetor retornara. Ela chorou de felicidade, sentindo uma grande onda de amor e uma conexão que sabia existir muito além do mundo físico.

7

"Foste tu aquela donzela que, certa vez,
abandonou a Terra que detestava,
e agora volta para visitar-nos novamente?
Ou eras aquela doce e sorridente jovem? ...
Ou qualquer outra daquela gente celestial
que desceu do seu trono de nuvens
para fazer bem a este mundo?
Ou foste aquele espírito de asas douradas
que, tendo assumido forma humana,
desceu do seu assento celestial para a Terra
e após breve vida entre nós voltou rápido
como para mostrar como são as criaturas celestes,
e com isso incendiar o coração dos homens,
fazendo-os escarnecer do sórdido mundo e aspirar ao Céu?"

John Milton

Elizabeth parecia menos deprimida quando entrou em meu consultório para a terceira entrevista. Os olhos estavam mais brilhantes.

– Sinto-me mais leve, mais livre – disse ela.

Sua breve recordação de si mesma como o rapazinho que caíra do barco começara a dissipar alguns dos seus temores. Não só o medo da água ou do escuro, mas também medos mais profundos e básicos, medo de morte e de extinção.

Ela havia morrido na pessoa daquele menino e, no entanto, ali estava novamente na pessoa de Elizabeth. A nível subconsciente, seu desgosto poderia estar diminuindo, uma vez que sabia ter vivido antes e que viveria novamente, que a morte não era definitiva. Todos podemos nascer de novo para enfrentar mais uma vez as alegrias e os pesares, os triunfos e as tragédias da vida na Terra.

Elizabeth mergulhou rapidamente em profundo transe hipnótico. Dentro de poucos minutos, os olhos moviam-se de um lado para outro sob as pálpebras fechadas enquanto ela revia um panorama antigo.

– A areia é linda – começou ela, relembrando uma existência como nativa do sul da América do Norte, provavelmente na costa ocidental da Flórida. – É tão branca... quase rosada às vezes... É fina como açúcar. – E, depois de uma pausa: – O sol se põe sobre o mar imenso. Para o leste, ficam os grandes pântanos, cheios de pássaros e animais. Há uma porção de pequenas ilhas entre os pântanos e o mar. As águas estão cheias de peixes saborosos que nós apanhamos, nos rios e entre as ilhas.

Fez nova pausa e continuou:

– Vivemos em paz. Sou muito feliz. A minha família é numerosa, acho que tenho muitos parentes entre a gente da aldeia. Sei muita coisa acerca de raízes, plantas e ervas... Sei fazer remédios com as plantas... Sei curar as pessoas.

Nas culturas americanas nativas não era contra a lei usar poções curativas ou exercer outras práticas holísticas. Em vez de serem chamados de bruxos e queimados em fogueira, os curandeiros eram respeitados e até venerados.

Fiz com que ela fosse mais adiante naquela vida, mas não surgiram traumas. Sua vida era pacata e satisfatória. Morreu de velhice, rodeada por toda a gente da aldeia.

– Há muito pouca tristeza em minha morte – observou, depois de flutuar acima do seu velho corpo mirrado e examinar a cena que via lá embaixo – muito embora pareça que toda a aldeia esteja presente.

A ausência de demonstrações de dor não a contrariava. Havia grande respeito e afeto por ela, por seu corpo e sua alma. A única coisa que faltava era a tristeza.

– Não lamentamos a morte porque sabemos que o espírito é eterno. Volta mais uma vez em forma humana quando o seu trabalho fica incompleto – explicou ela. – Às vezes, examinando cuidadosamente o novo corpo, podemos conhecer a identidade do corpo anterior. Procuramos marcas naturais na pele onde antes havia cicatrizes, e procuramos outros sinais. Da mesma forma, não comemoramos tanto os nascimentos ... muito embora possa ser bom ver o espírito novamente.

Fez outra pausa, talvez procurando palavras para descrever esse conceito.

– Embora a Terra seja muito bonita e demonstre continuamente a harmonia e a interligação que há entre todas as coisas, o que é uma grande lição, a vida é muito mais difícil aqui. Lá onde reside o espírito maior não há doenças nem dores nem separação ... não há ambição, concorrência, ódios, medos, inimigos ... há somente paz e harmonia. Portanto, o espírito menor não pode sentir-se feliz ao voltar para a Terra.

Seria errado comemorar quando o espírito se sente triste. Seria um ato muito egoísta e insensível.

Mas logo acrescentou:

– Isto não significa que não recebamos com alegria o espírito que volta. É importante demonstrar nosso amor e afeto em um momento tão delicado.

Tendo explicado esse fascinante conceito de morte sem tristeza e nascimento sem comemoração, calou-se, repousando.

Ali estava novamente o conceito de reencarnação e da reunião, em forma física, dos que foram nossos familiares, amigos e entes queridos em vidas passadas. Em todas as épocas e em diferentes culturas ao longo de toda a história, esse conceito surge espontaneamente.

A vaga recordação daquela vida antiga pode tê-la ajudado a voltar mais uma vez à Flórida, lembrando-a, a níveis mais profundos, de um lar ancestral. Talvez a sensação de areia e mar, de palmeiras, mangues e pântanos lhe evocasse a memória da alma, ajudando a atraí-la de volta com uma sedução subconsciente. Pois aquela vida havia sido agradabilíssima e cheia das satisfações que faltavam à sua vida atual.

É possível que essas antigas emoções a tivessem levado a solicitar matrícula na Universidade de Miami, o que levou à sua bolsa de estudos e à sua mudança para Miami. Não fora coincidência. O destino exigia que ela estivesse ali.

– Está cansada? – perguntei, voltando a minha atenção para Elizabeth, que ainda repousava tranqüilamente no divã.

– Não – respondeu ela calmamente.

– Deseja examinar uma outra vida?

– Sim.

Mais uma vez recuamos no tempo, e mais uma vez ela emergiu em uma terra antiga.

– É uma terra desolada – observou Elizabeth depois de examinar a paisagem. – Vejo montanhas altas ... estradas de terra batida, poeirentas. Os mercadores percorrem essas estradas ... Há uma rota para mercadores, cruzando de leste a oeste...

– Conhece esse país? – perguntei, à cata de detalhes.

Não desejava interferir, fazendo perguntas demais à parte lógica ou ao lado esquerdo do seu cérebro. Esse tipo de perguntas podia interferir com o imediatismo da experiência, que é mais uma função do lado direito do cérebro, o lado intuitivo. Mas Elizabeth estava em profundo estado hipnótico. Era capaz de responder a perguntas e continuar a sentir vividamente aquela cena. E os detalhes eram importantes.

– Acho que é... a Índia – respondeu ela, hesitante. – Talvez um pouco a oeste da Índia ... Não acho que as fronteiras sejam assim tão definidas. Vivemos nas montanhas e há desfiladeiros que os mercadores têm de atravessar.

– Você se vê? – perguntei.

– Sim ... sou uma menina de cerca de quinze anos. A minha pele é mais escura e os meus cabelos são negros. As minhas roupas estão sujas. Eu trabalho nos estábulos, cuidando dos cavalos e das mulas ... Somos muito pobres. Faz muito frio; minhas mãos ficam geladas trabalhando aqui.

Com uma careta, Elizabeth fechou os punhos.

Aquela menina nascera inteligente, mas não tinha instrução. A vida era enormemente difícil. Os mercadores costumavam abusar dela, às vezes deixando-lhe um pouco de dinheiro. Os parentes não podiam protegê-la. O frio intenso e a fome constante tornavam-lhe a vida miserável. Havia apenas um lado alegre em sua vida.

– Há um jovem mercador que costuma vir com o pai e com os outros. Ele me ama e eu o amo. Ele é divertido e gentil, e nós rimos muito quando estamos juntos. Seria bom que ele pudesse ficar, para estarmos juntos todo o tempo.

Isso não iria acontecer. Ela morreu aos dezesseis anos. O seu corpo, já desgastado pela vida amarga e pelos elementos, sucumbiu rapidamente à pneumonia. A família estava ao seu lado quando ela morreu.

Enquanto revíamos aquela breve existência, Elizabeth não se mostrou triste. Havia aprendido uma importante lição.

– O amor é a força mais poderosa do mundo – disse ela, docemente. – O amor pode brotar e florescer até mesmo no solo gelado e nas condições mais adversas. Existe *em toda parte* e em todo o tempo. O amor é uma flor para todas as estações.

Um belo sorriso iluminava seu rosto.

☆ ☆ ☆

Um de meus pacientes, advogado católico, acabara de recordar uma vida na Europa, em fins da Idade Média. Havia-se lembrado de como morrera naquela existência, uma existência cheia de cobiça, violência e traição. Estava consciente de que algumas dessas características haviam persistido em sua vida atual.

Agora, reclinado na macia poltrona de couro de meu consultório, ele se lembrava de haver flutuado, saindo do corpo, naquela existência medieval. De repente, viu-se em um ambiente infernal, em meio a fogueiras e demônios. Isso me surpreendeu. Embora eu houvesse encontrado em meus pacientes milhares de mortes em vidas passadas, nenhum deles havia tido uma experiência com o inferno. Quase invariavelmente as pessoas se viam atraídas para uma luz inefavelmente bela, uma luz que renova e revigora o espírito. Mas o inferno?

Esperei que algo acontecesse, mas ele disse que ninguém lhe dava atenção. Ele também aguardava. Passaram-se vários minutos. Finalmente, um vulto espiritual, que ele identificou como Jesus, apareceu e veio ter com ele. Era o primeiro ser que o notava.

– Não vês que tudo isso é ilusão? – disse-lhe Jesus. – Só o amor é real!

E logo as fogueiras e os demônios desapareceram, revelando a bela luz que estava lá, invisível, por trás da ilusão.

Às vezes recebemos aquilo que esperamos, mas que talvez não seja real.

8

"O segredo do mundo é que tudo subsiste; nada morre, apenas desaparece da vista durante algum tempo para surgir outra vez. Nada está morto; os homens se fingem de mortos e suportam falsos funerais e chorosos obituários, mas lá estão eles, a tudo assistindo pela janela, vivos e em boa saúde, sob nova e estranha forma".

Ralph Waldo Emerson

Pedro e eu precisávamos saber mais a respeito das origens do desespero oculto que havia nele e que se tornara ainda mais profundo após a morte trágica do irmão. Precisávamos conhecer melhor o motivo da superficialidade de suas relações. Estaria o seu amor sendo bloqueado pela constante crítica que a mãe dirigia às suas namoradas e o sentimento de culpa pelo aborto? Ou simplesmente ele ainda não havia encontrado a mulher certa?

O processo de regressão é como a busca de petróleo. Nunca se sabe onde o petróleo está mas, quanto mais fundo se perfurar, melhores serão as chances de encontrá-lo.

Naquele dia, iríamos mais fundo.

Só recentemente Pedro começara a lembrar-se de suas vidas passadas. No começo, essas vidas costumam emergir em seus pontos mais traumáticos. Foi o que aconteceu mais uma vez.

– Sou um soldado ... inglês, suponho – observou Pedro. – Muitos de nós viemos de navio para capturar a fortaleza inimiga. É uma fortaleza enorme, de muros altos e fortes. O inimigo encheu a baía de grandes pedras. Precisamos encontrar outra entrada.

Quedou-se em silêncio enquanto a invasão era retardada.

– Avance no tempo – sugeri. – Veja o que acontece em seguida.

Bati-lhe de leve na testa três vezes, para focalizar-lhe a atenção e ajudá-lo a atravessar aquele hiato de tempo.

– Conseguimos passar pelas pedras e invadimos a fortaleza – respondeu ele. Começou a resmungar e suar. – Parecem túneis ... Corremos por eles mas não sabemos aonde estamos indo. Os túneis são estreitos e baixos. Temos de seguir em fila indiana, inclinados para a frente enquanto avançamos.

Pedro pôs-se a suar profusamente. Sua respiração era muito rápida e ele parecia extremamente perturbado.

– Vejo uma pequena porta lá adiante ... vamos entrar por ali, correndo.

De repente, encolheu os ombros:

– Ai! Os espanhóis estão do outro lado da porta. Estão nos matando à medida que cruzamos o umbral da porta, um de cada vez ... Feriram-me com uma espada! – disse ele, arfando e levando a mão ao pescoço.

Arquejava, buscando respirar, e o suor rolava-lhe pelo

rosto, encharcando-lhe a camisa. Enxuguei-lhe a fronte e o rosto com um lenço de papel.

– Estou flutuando acima do meu corpo – anunciou ele. – Saí daquela vida ... Tantos cadáveres ... tanto sangue lá embaixo ... mas agora estou acima disso.

Flutuou em silêncio durante alguns minutos.

– Reveja essa vida – disse eu. – O que você aprendeu? Quais foram as lições?

Ele refletiu sobre estas perguntas a partir de uma perspectiva superior.

– Aprendi que a violência é uma profunda ignorância. Morri estupidamente longe de minha pátria e de meus entes queridos. Morri em decorrência da cobiça alheia. Ingleses e espanhóis eram todos ignorantes, matando-se uns aos outros em terras distantes por causa de ouro. Roubando ouro uns dos outros e matando-se mutuamente por isso. A cobiça e a violência mataram esses homens ... todos haviam se esquecido do amor...

Caiu mais uma vez em silêncio. Decidi deixá-lo descansar e refletir sobre essas lições. Eu também passei a meditar sobre as lições de Pedro. Ao longo dos séculos, desde a morte absurda de Pedro em uma fortaleza distante de sua morada inglesa, o ouro passou a ser dólares, libras, ienes e pesos, mas até hoje nos matamos por ele. Na verdade, é o que tem acontecido durante toda a história do homem. Como aprendemos pouco em todos esses séculos! Quanto mais precisaremos sofrer para nos lembrarmos novamente do amor?

Sentado na poltrona, Pedro agora meneava a cabeça de um lado para outro, um sorriso divertido em seus lábios. Havia ingressado espontaneamente em outra existência bem mais recente. Desde que começara a recordar vidas passadas, as lembranças de Pedro eram especialmente vívidas.

– O que está sentindo? – indaguei.

– Sou uma mulher – observou ele. – E muito bonita. Meus cabelos são longos e louros ... minha pele é muito clara.

De grandes olhos azuis e roupas elegantes, Pedro era uma prostituta muito procurada na Alemanha após a Primeira Guerra Mundial. Embora o país estivesse atravessando um período de inflação acelerada, os ricos ainda tinham dinheiro para os seus serviços.

Pedro teve alguma dificuldade em recordar o nome daquela mulher elegante.

– Acho que era Magda – disse.

Deixei que ele continuasse a sua avaliação visual.

– Sou muito bem-sucedida neste comércio – disse Magda, com orgulho. – Sirvo de confidente a políticos, chefes militares e empresários muito importantes.

Parecia um tanto vaidosa ao lembrar-se daquilo.

– Minha beleza e minhas habilidades fascinam todos – acrescentou. – Sempre sei exatamente o que devo fazer.

Em seguida, a voz de Pedro tornou-se um leve murmúrio.

– Exerço influência sobre esses homens ... Posso fazê-los mudar de decisão ... Eles o fazem por mim.

Estava impressionada com a sua posição social e sua capacidade de influenciar homens poderosos.

– Geralmente eu sei mais do que eles – prosseguiu ela, um pouco triste. – Ensino-lhes até mesmo política!

O poder e as intrigas políticas lhe davam prazer. Magda cantava extremamente bem, apresentando-se com freqüência em saraus elegantes. Aprendeu a manipular os homens. Seu poder político, porém, era indireto. Precisava sempre da intermediação de outros homens, e isso a deixava frustrada. Em outra vida futura, Pedro não iria precisar de intermediários.

Determinado jovem se destacava especialmente dos demais.

– Ele é mais inteligente e mais sério que os outros – observou Magda. – Tem cabelos castanhos e olhos muito azuis. Demonstra paixão em tudo o que faz. Conversamos durante horas. Acredito que nos amamos.

Ela não reconhecia esse homem em pessoa alguma de sua vida atual.

Pedro assumiu um ar triste, os olhos úmidos.

– Deixei-o por outro ... um homem mais velho, mais poderoso e mais rico que me queria com exclusividade. Não segui o meu coração e isso foi um erro. Minha conduta o magoou terrivelmente. Nunca me perdoou ... não compreendeu.

Magda havia buscado segurança e poder externo, colocando essas qualidades acima do amor, que é a verdadeira fonte de segurança e poder.

Aparentemente, essa decisão constituiu um momento decisivo em sua vida, um desvio na estrada que, uma vez escolhido, não pode ser desfeito.

Seu velho amante perdeu o poder que exercia quando a política alemã mudou abruptamente em favor dos novos e violentos partidos, e ele a abandonou. Magda perdeu de vista o seu jovem amante apaixonado. E finalmente o seu corpo começou a definhar em virtude de uma doença sexual crônica, provavelmente sífilis. Sentiu-se deprimida, sem forças para lutar contra a doença que a devastava.

– Vá até o fim dessa existência – insisti. – Veja o que lhe acontece, quem está à sua volta.

– Estou em um leito humilde – relatou ela – em um hospital. É um hospital para indigentes. Há muitas outras pessoas lá, doentes e gemendo ... os mais miseráveis de todos os pobres. Parece uma cena do inferno!

– Consegue se ver?

– Meu corpo é grotesco – respondeu Magda.

– Há médicos e enfermeiras por perto?

– Há – respondeu ela, com amargura. – Mas não me dão atenção ... não demonstram tristeza alguma. Reprovam a vida que levei e o que fiz. Estão me castigando.

Uma vida de beleza, poder e intriga terminara daquele modo triste. Ela flutuou acima do corpo, finalmente livre.

– Sinto-me em paz agora – disse ela. – Quero apenas descansar...

Na poltrona, Pedro mantinha-se em silêncio. Iríamos rever aquela existência em outra ocasião. Ele estava exausto, e eu o despertei.

A dor crônica no pescoço e no ombro de que Pedro se queixava desapareceu gradualmente nas semanas seguintes. Os médicos que o atendiam nunca haviam atinado com as origens dessa dor. É claro que não lhes ocorrera que a causa pudesse ser um golpe de espada desferido séculos antes.

* * *

A miopia da maioria das pessoas costuma espantar-me. Tenho muitos conhecidos que se sentem diariamente obcecados pela educação de seus filhos, qual o melhor jardim da infância, se devem preferir escolas particulares ou públicas, quais os melhores cursos pré-vestibulares, maximizando a importância das notas obtidas e das atividades extracurriculares de modo a conseguirem matricular o filho *naquele* colégio, *naquela* universidade, *ad infinitum*. Depois, começam o mesmo ciclo em relação aos netos.

Essas pessoas acham que este mundo está imobilizado no tempo e que o futuro será uma reprodução do presente.

Se continuarmos a derrubar as nossas florestas e destruir as nossas fontes de oxigênio, o que essas crianças estarão respirando daqui a vinte ou trinta anos? Se envenenarmos nossos sistemas hidráulicos e nossos ciclos de alimentos, o que elas irão comer? Se continuarmos cegamente a produzir fluorocarbonos e outros detritos orgânicos e a destruir a camada de ozônio, poderão elas viver ao ar livre? Se superaquecermos o planeta mediante algum efeito estufa, fazendo subir o nível dos oceanos, e inundarmos as nossas praias e exercermos pressão excessiva sobre as falhas oceânicas e continentais, onde elas irão viver? E os filhos e netos, na China, na África, na Austrália e no resto do mundo, serão igualmente vulneráveis, pois também vivem neste planeta. Convém pensar nisso: se e quando reencarnarmos, seremos uma dessas crianças.

Portanto, por que toda essa preocupação com vestibulares e universidades quando talvez não exista um mundo para os nossos descendentes?

Por que essa obsessão com o prolongamento da vida? Por que desejar fazer estender nosso fim geriátrico por mais alguns anos infelizes? Por que a preocupação com níveis de colesterol, dietas de trigo integral, contagem de lipídios e exercícios aeróbicos?

Não será mais sensato viver com alegria agora, tornar mais plenos os nossos dias, amarmos e sermos amados, do que nos preocuparmos tanto com nossa saúde física em um futuro incerto? E se não houver um futuro? E se a morte for a nossa libertação para a felicidade?

Não estou dizendo que devemos desprezar o corpo, que seja certo fumar ou beber excessivamente, usar substâncias abusivas ou ficarmos grosseiramente obesos. Essas condições nos causam dor, sofrimento e incapacidade. Mas não se preocupem tanto com o futuro. Tratem de encontrar a felicidade hoje.

A ironia de tudo isso é que, se adotarmos essa atitude e procurarmos ser felizes no presente, provavelmente viveremos mais tempo.

O nosso corpo e a nossa alma são como um carro e o seu motorista. Lembre-se sempre de que você é o motorista, não o carro. Não se identifique com o seu veículo. A ênfase de hoje em prolongar a duração da vida, em viver até os cem anos de idade ou mais, é loucura. É como continuar a usar o seu Ford antigo além dos 300 mil ou dos 500 mil quilômetros. A carroceria do carro está enferrujando, a transmissão já foi reformada cinco vezes, as peças do motor estão caindo, e você insiste em não abandonar o carro. Enquanto isso, há um Mustang novo em folha esperando por você, bem perto de você. Basta-lhe sair do carro velho e entrar nesse belo Mustang. O motorista, a alma, nunca muda. Somente o carro.

E quem sabe se existe uma reluzente Ferrari esperando por você em algum ponto da estrada?

9

"Durante toda a minha vida, referi-me subconscientemente a experiências que tive em existências anteriores ... Vivi na Judéia há oitocentos anos, mas nunca soube que havia um Cristo entre os meus contemporâneos. As estrelas que eu via no céu quando era pastor na Assíria, são as mesmas que hoje vejo como nativo da Nova Inglaterra".

Henry David Thoreau

Duas semanas transcorreram entre as consultas de Elizabeth, que teve de ausentar-se em mais uma viagem de negócios. Não lhe era raro viajar para fora da cidade. O belo sorriso com que ela terminara a última sessão desaparecera, pois a realidade e pressões do dia-a-dia haviam mais uma vez cobrado o seu tributo.

No entanto, estava ansiosa para continuar a jornada de volta no tempo. Começara a recordar eventos e lições importantes de outras vidas. Sentira um vislumbre de felicidade e esperança e queria mais.

Rapidamente mergulhou em profundo estado de transe. Lembrou-se das pedras de Jerusalém, com as suas cores características que mudavam conforme a luz do dia ou da noite, às vezes douradas, outras vezes com um tom de rosa ou bege. Mas o tom dourado sempre voltava. Lembrou-se da vila onde morava, perto de Jerusalém, com as suas pequenas estradas de pedras e terra batida, lembrou-se das casas, dos habitantes, das roupas que eles usavam, dos costumes locais. Havia na vizinhança figueiras e vinhas, campos onde cresciam o linho e o trigo. A água vinha do poço à beira da estrada. Junto ao poço, erguiam-se velhos carvalhos e romãzeiras. A Palestina atravessava, como quase sempre, uma época de intensa atividade religiosa e espiritual, de novas mudanças, de contínua esperança e, no entanto, havia o peso, a aspereza dos dias, a luta pela sobrevivência, a opressão dos invasores romanos.

Lembrou-se do pai, Eli, que trabalhava em casa como oleiro. Usando a água do poço, ele criava formas de barro, fazendo tigelas, jarras e outros objetos para o lar e para a gente da vila ou para vender em Jerusalém. Às vezes, mercadores e viajantes que passavam pela aldeia compravam os potes, as panelas de barro e as tigelas que ele fazia. Elizabeth descreveu a roda do oleiro, o ritmo dos pés do pai sobre a roda, e forneceu detalhes sobre a vida naquela pequena aldeia. Seu nome era Miriam, e ela era uma moça feliz, vivendo em tempos turbulentos. Em breve a sua vida iria mudar para sempre, quando a turbulência se espalhou para a aldeia onde morava.

Passamos ao próximo evento importante daquela existência. Esse evento foi a morte prematura do pai nas mãos de soldados romanos. Os soldados freqüentemente atormentavam os primeiros cristãos que viviam na Palestina na época. Inventavam jogos cruéis, simplesmente por diversão. Um desses jogos matou acidentalmente o pai a quem ela tanto amava.

Para começar, os soldados amarraram Eli pelos tornozelos e arrastaram-no puxado por um cavalo. Após um tempo interminável, fizeram o cavalo parar. O corpo do pai de Elizabeth estava gravemente ferido, mas ele sobrevivera ao suplício. Horrorizada, a filha ouviu as gargalhadas dos soldados, que pretendiam atormentá-lo ainda mais.

Dois dos soldados romanos amarraram a ponta da corda em torno do próprio peito e puseram-se a pular e correr, como se fossem cavalos. O pai foi impelido para a frente e bateu a cabeça de encontro a uma grande pedra. Agora estava fatalmente ferido.

Os soldados abandonaram-no na estrada poeirenta.

O absurdo do incidente tornou mais agudo o pesar de Elizabeth, acrescentando desespero e ódio à dor pela morte violenta do pai. Para os soldados, tudo havia sido simples esporte. Nem ao menos conheciam o pai de Elizabeth. Não conheciam o toque gentil de suas mãos quando ele tratava dos cortes e contusões que a filha sofrera na infância, o bom humor com que ele trabalhava na roda. Não conheciam o aroma dos seus cabelos depois que ele se banhava, não haviam provado de seus beijos nem sentido os seus abraços. Não haviam convivido com aquele homem bom e afetuoso.

No entanto, em poucos minutos de terror, haviam posto fim a uma bela vida e marcado os anos que restavam à filha com uma dor que jamais passaria de todo, uma perda que jamais seria suprida, uma lacuna que nunca poderia ser preenchida. Por esporte. A estupidez do evento a indignava, e lágrimas de ódio juntaram-se às lágrimas de dor.

No chão poeirento e manchado de sangue, ela embalava, chorando, a cabeça do pai aninhada em seu colo. Ele já não podia falar. Um filete de sangue escorria-lhe pelo canto dos lábios. Um ruído soturno lhe vinha do peito quando ele tentava respirar. A morte estava muito perto. A luz dos seus olhos anunciava o ocaso, o fim dos seus dias.

– Eu te amo, papai – murmurou ela docemente, olhando com tristeza os olhos que se apagavam. – Sempre vou te amar.

O pai fitou-a por alguns instantes, como se dissesse que compreendia, e fechou os olhos para sempre.

Elizabeth continuou ajoelhada, embalando o corpo inerte do pai, enquanto o sol se escondia no horizonte. A família e outros aldeões separaram-na do cadáver do pai a fim de prepará-lo para o enterro. Ela mentalmente revia o último olhar do pai, certa de que ele a compreendera.

Sentado em silêncio, imobilizado pelo profundo desespero de Elizabeth, eu ligava o seu sofrimento na vida atual ao sofrimento que lhe viera na Palestina, quase dois mil anos antes. Seria aquele mais um caso em que a dor antiga agravava a dor de hoje? Poderia a experiência da reencarnação e o fato de saber que há vida após a morte curar esse sofrimento?

Voltei a falar-lhe:

– Passe adiante no tempo. Avance para o próximo evento importante naquela existência.

– Não há mais nenhum evento importante – respondeu.

– Como assim?

– Nada de importante acontece. Posso ver o que se passou depois ... mas nada acontece.

– Nada?

– Nada – repetiu ela pacientemente.

– Você não se casa?

– Não, eu não vivo muito tempo. Não me importo em viver. Não me importo comigo mesma.

A morte do pai a havia afetado profundamente, levando-a a uma profunda depressão e morte prematura.

– Saí do corpo daquela menina – anunciou Elizabeth.

– O que está vendo agora?

– Estou flutuando ... estou flutuando – repetiu, a voz como que se perdendo no espaço.

Pouco depois, voltou a falar, mas as palavras já não eram dela. A voz era mais grave e firme. Elizabeth era capaz de fazer o que Catherine e muito poucos pacientes meus conseguiam: transmitir mensagens e informações dos Mestres, entidades espirituais de alto nível. O meu primeiro livro contém muito da sabedoria desses espíritos.

Em minhas meditações, eu também era capaz de receber mensagens semelhantes, mas as palavras sempre pareciam mais significativas quando vinham de meus pacientes. Eu sabia que precisava adquirir confiança em minha própria capacidade de ouvir, receber e perceber esses mesmos conceitos, vindos das mesmas fontes.

"Lembre-se – disse a voz. – Lembre-se de que você sempre é amado. Está sempre protegido, nunca está sozinho ... Você também é um ser de luz, de sabedoria, de amor. E não pode jamais ser esquecido. Não pode ser ignorado. Você não é o corpo que tem; não é o seu cérebro, nem mesmo a sua mente.

Você é espírito. Basta-lhe despertar para a recordação, lembrar-se. O espírito não tem limites, não tem o limite do corpo físico e ultrapassa o alcance do intelecto ou da mente...

E prosseguiu: "Quando a energia vibratória do espírito diminui a ponto de você poder atingir ambientes mais densos, como o plano tridimensional em que hoje vive, o espírito se cristaliza e se transforma em corpos cada vez mais densos. O mais denso de todos é o estado físico. É nele que o ritmo de vibração é mais baixo. O tempo parece passar mais rapidamente nesse estado, porque é proporcionalmente inverso ao ritmo da vibração. À medida que aumenta o ritmo de vibração, o tempo se desacelera. Por isso é que às vezes é difícil escolher o corpo certo, o tempo certo de retornar ao estado físico. Dada a disparidade do tempo, pode-se perder a oportunidade. ... Existem muitos níveis de consciência, muitos estados vibratórios. Não lhe é importante conhecer todos esses níveis.

"Para você, o mais importante é o primeiro dos sete níveis. É mais importante ter experiências no primeiro plano do que abstrair e raciocinar acerca dos planos superiores. Talvez você tenha de passar por todos eles. ... Sua tarefa é ensinar aos outros através da experiência. Partir do que é crença e fé e transformá-lo em experiência, de modo que o aprendizado seja completo, pois a experiência transcende a crença. Ensinar-lhes a sentir. Retirar-lhes o medo. Ensinar-lhes a amar e a se ajudarem uns aos outros. ... Isso envolve o livre arbítrio das pessoas. Mas dirija-se a elas com amor e compaixão. Ajude-as. É isso o que você deve fazer em seu primeiro plano.

"Os seres humanos consideram-se o único tipo de vida inteligente do universo. Isso não é verdade. Existem muitos mundos e muitas dimensões ... muito mais almas do que corpos físicos. Além do mais, a alma pode dividir-se, se assim o desejar, e ter mais de uma experiência ao mesmo tempo. Isso é possível, mas requer um grau de desenvolvimento que a maioria ainda não atingiu. Mais tarde eles verão que, como em uma pirâmide, todas as almas se fundem em uma só e toda experiência é compartilhada simultaneamente. Mas isso não é para agora.

"Quando você olhar nos olhos de outra pessoa, qualquer outra pessoa, e vir a sua própria alma olhando para você, saberá que atingiu outro nível de consciência. Neste sentido, não existe reencarnação, uma vez que todas as vidas e todas as experiências são simultâneas. Mas, no mundo tridimensional, a reencarnação é tão real quanto o tempo ou quanto as montanhas e os oceanos. É uma energia como as outras, e sua realidade depende da energia de quem a vê. Na medida em que o observador percebe um corpo físico e objetos sólidos, a reencarnação é real para esse observador. A energia consiste em luz, amor e conhecimento. A aplicação desse conhecimento com amor é sabedoria ... Há grande escassez de sabedoria no plano em que você vive".

Elizabeth parou de falar. Como Catherine, ela era capaz de recordar os detalhes de suas vidas físicas, mas não as mensagens oriundas do intervalo entre essas vidas. Ambas estavam em estados hipnóticos muito mais profundos quando transmitiam essas mensagens. São poucos os pacientes em que a hipnose é tão profunda a ponto de induzir à amnésia. Tal como ocorria com Catherine, as mensagens de Elizabeth podiam contribuir para corrigir a "escassez de sabedoria que há em seu plano".

Iríamos colher muito mais conhecimentos antes que Elizabeth terminasse o seu tratamento.

☆ ☆ ☆

Desde a cura de Catherine e o fim de sua terapia, o meu contato com a sabedoria dos Mestres tem sido limitado. No entanto, em um sonho ou outro, incrivelmente vívido e quase lúcido, recebo outras informações semelhantes às lições que registrei em *Muitas Vidas, Muitos Mestres*. E às vezes as mensagens chegam quando estou em profundo estado meditativo e onírico. Por exemplo, um sistema de psicoterapia para o século XXI me foi apresentado, um sistema psíquico-espiritual capaz de suplantar as desgastadas técnicas do passado.

Mensagens e imagens enchiam o meu cérebro a grande velocidade, claras, rápidas e brilhantes. Infelizmente, eu não podia gravar em fita o que me passava pela mente, que era a estação receptora. O resultado é que as idéias que apresento adiante são como pedras preciosas, mas o meio, que são as palavras com as quais tento explicar e definir esses rápidos pensamentos, são como uma escória. O começo foi uma mensagem clara:

"Tudo é amor ... tudo é amor. Com o amor vem a compreensão e, com ela, a paciência. E então o tempo pára. E tudo é agora".

Compreendi imediatamente a verdade desses pensamentos. A realidade é o presente. Remoer o passado ou o futuro causa dor e doença. A paciência faz parar o tempo. O amor de Deus é tudo.

E percebi também o poder curativo desses pensamentos. Comecei a compreender:

"O amor é a resposta suprema. O amor não é uma abstração, e sim energia verdadeira, ou uma gama de energias que você pode 'criar' e manter em seu ser. Simplesmente aja com amor. Você começará a tocar Deus dentro de si mesmo. Sinta-se amoroso. Dê expressão ao seu amor.

"O amor dissolve o medo. Não se pode ter medo quando se sente amor. Uma vez que tudo é energia e o amor abrange todas as energias, tudo é amor. Este é um forte indício da natureza de Deus.

"A pessoa que tem amor e é isenta de medos, é capaz de perdoar. É capaz de perdoar aos outros e a si mesma. Passa a se ver na perspectiva correta. Culpa e rancor são reflexos do mesmo medo. O sentimento de culpa é um rancor mais sutil dirigido para dentro. O perdão dissolve a culpa e o rancor, que são emoções desnecessárias e danosas. Perdoe. Perdoar é um ato de amor.

"O orgulho pode ser um empecilho para o perdão. O orgulho é uma das manifestações do ego. O ego é uma personalidade transitória e falsa. Você não é o seu corpo. Não é o seu intelecto. Não é o seu ego. É maior do que tudo isso. Você precisa do ego para sobreviver no mundo tridimensional, mas precisa somente daquela parte do ego que processa informações. O resto – orgulho, arrogância, defensividade, medo – é mais do que inútil. O resto do ego nos separa da sabedoria, da alegria e de Deus. Você deve transcender o seu ego e descobrir o seu verdadeiro ser. O verdadeiro ser é a parte permanente, a parte mais profunda de você. É sábia, amorosa, segura e cheia de alegria.

"O intelecto é importante no mundo tridimensional, mas a intuição é mais importante.

"Você troca a realidade por ilusão. A realidade é o reconhecimento de sua imortalidade, divindade e eternidade. A ilusão é o seu mundo tridimensional e transitório. Essa troca lhe é prejudicial. Você deseja a ilusão da segurança em lugar da segurança da sabedoria e do amor. Deseja ser aceito quando, na realidade, jamais pode ser rejeitado. O ego cria ilusão e encobre a verdade. É preciso dissolver o ego para poder ver a verdade.

"Com o amor e a compreensão vem a perspectiva da paciência infinita. Por que a sua pressa? Afinal, o tempo não existe, apenas lhe parece existir. Quando você não se apercebe do presente, quando está absorvido no passado ou preocupado com o futuro, traz para si mesmo grande dor e sofrimento. O tempo também é uma ilusão. Mesmo no mundo tridimensional, o futuro é apenas um sistema de probabilidades. Por que preocupar-se tanto?

"A terapia do ser é possível. A compreensão é terapia. O amor é a suprema terapia. Terapeutas, professores, gurus – todos eles podem ajudar, mas só por tempo limitado. A direção é para dentro do ser, e mais cedo ou mais tarde o caminho interior tem de ser trilhado em solidão, muito embora na realidade nunca estejamos sós.

"Meça o tempo, se tem de medi-lo, em termos de lições aprendidas, não em minutos, horas ou anos. Você pode curar-se em cinco minutos se chegar ao conhecimento adequado. Ou em cinqüenta anos. É tudo a mesma coisa.

"O passado deve ser lembrado e, depois, esquecido. Deixe que ele se vá. Isso se aplica a traumas da infância e traumas de vidas passadas. Mas também se aplica a atitudes, falsas noções, sistemas de crenças que nos são impostos, a todos os velhos pensamentos. Na verdade, a todos os pensamentos. Como é possível termos uma visão nova e clara com todos esses pensamentos? E se tivéssemos de aprender algo novo a partir de uma nova perspectiva?

"Os pensamentos criam ilusões de separação e diferença. O ego perpetua essa ilusão, e essa ilusão cria medo, ansiedade e enorme sofrimento. Por sua vez, o medo, a ansiedade e o sofrimento criam cólera e violência. Como pode haver paz em um mundo no qual essas emoções caóticas predominam? Simplesmente saia deste labirinto. Volte à origem do problema. Não volte a antigos pensamentos. Pare de pensar. Em vez disso, use o seu saber intuitivo para sentir amor novamente. Medite. Veja que tudo é interligado e interdependente. Veja a unidade, não as diferenças. Veja o seu verdadeiro ser. Veja Deus.

"A meditação e a visualização o ajudarão a não pensar tanto e a iniciar a sua viagem de volta. Ficará curado. Começará a usar a mente que não utilizava. Verá. Compreenderá. Irá tornar-se mais sábio. E então haverá paz.

"Você tem um relacionamento consigo mesmo, bem como com outras pessoas. E já viveu em muitos corpos e em muitas épocas. Portanto, pergunte-se por que isso é tão assustador. Por que receia assumir riscos razoáveis? Receia por sua reputação, tem medo do que os outros possam pensar? Esses medos lhe foram infundidos na infância ou mesmo antes.

"Faça a si mesmo as seguintes perguntas: 'O que tenho a perder? O que pode me acontecer de pior? Devo contentar-me em viver o resto de minha vida desta maneira? Se a morte é uma realidade inevitável, o que há de tão arriscado nisso?'

"Em seu crescimento não receie provocar a ira de outras

pessoas. A ira não passa de uma manifestação da insegurança dessas pessoas. Temer essa ira pode retardar o seu desenvolvimento. A ira seria meramente estúpida se não causasse tanto sofrimento. Dissolva a sua própria ira em amor e perdão.

"Não deixe que a depressão ou a ansiedade tolha o seu crescimento. Sentir-se deprimido é perder a perspectiva, esquecer e aceitar tudo como natural. Aperfeiçoe o seu enfoque. Restabeleça os seus valores. Lembre-se de que há coisas que não devem ser aceitas como inevitáveis. Mude a sua perspectiva e lembre-se do que é importante e do que importa menos. Saia da rotina. Lembre-se de ter esperança.

"Ficar ansioso é perder-se no ego. É perder de vista as nossas fronteiras. Há uma vaga lembrança de perda de amor, de orgulho ferido, de perda de paciência e de paz. Lembre-se: você nunca está sozinho.

"Nunca perca a coragem de assumir riscos. Você é imortal. Ninguém pode feri-lo."

Às vezes, as mensagens são muito menos psicológicas e parecem vir de uma fonte mais antiga e mais didática. O estilo é bem diferente. É quase como se eu estivesse anotando um ditado:

"Existem muitos tipos de carma, de dívidas a serem saldadas. O carma individual faz parte das obrigações próprias da entidade, daquelas que lhe são peculiares. Mas existe também um carma grupal, as dívidas coletivas do grupo ao qual a entidade pertence, e existem muitos grupos: religiões, raças, nacionalidades... Em um nível mais amplo, há um carma planetário que, com o tempo, afetará o destino do planeta. No carma grupal não só as dívidas individuais são acumuladas e trabalhadas, mas o resultado é finalmente aplicado ao grupo, país ou planeta. A aplicação desse carma grupal determina o futuro do grupo ou do país. Mas se aplica também ao indivíduo que reencarna, seja dentro do grupo ou do país.

"Os nossos atos são corretos quando estão na Direção Certa, ao longo do Caminho que leva a Deus. Todos os outros caminhos, mais cedo ou mais tarde, são becos sem saída ou ilusões, e o ato que segue esses caminhos não é um ato acertado. Assim o ato acertado promove a espiritualidade do indivíduo e o seu retorno. Quaisquer atos que promovam justiça, misericórdia, amor, sabedoria e os atributos que chamamos de divinos ou espirituais são inevitavelmente atos acertados. O fruto do ato acertado é a meta desejada. Os frutos de atos que percorrem outros caminhos são transitórios, ilusórios e falsos. Esses frutos nos atraem e nos enganam, mas não são o que realmente desejamos. Os frutos do ato acertado abrangem todos os nossos objetivos e desejos e tudo aquilo de que necessitamos e desejamos.

"A fama é um exemplo. Aquele que busca a fama pelo amor à fama poderá alcançá-la durante algum tempo. Mas essa fama será temporária e insatisfatória. Se, porém, a fama lhe vem sem ser procurada, como resultado de atos acertados, atos que seguem o Caminho, essa fama será duradoura e adequada. Mas para o que está no Caminho, ela não importa. Essa é a diferença entre a fama que é procurada de modo egoísta, para o indivíduo, e a fama que não se busca nem se deseja, subproduto da conduta acertada. A primeira é ilusória e passageira. A segunda é real e permanente, aderente à alma. A primeira agrava o carma e tem de ser compensada; a segunda, não".

Outras vezes, as mensagens vêm e vão, rápida e sucintamente.

"O objetivo não é ganhar, mas abrir-se".

Depois, como se fosse novamente a sua vez de falar, a fonte espiritual enviava outras mensagens e impressões instantâneas:

"Deus perdoa, mas tens de ser perdoado também pelos outros ... e tens de perdoá-los. O perdão é também tua responsabilidade. Deves perdoar e ser perdoado. A psicanálise não repara os danos causados. Tens de ir além da compreensão e provocar mudanças, melhorar o mundo, reparar relacionamentos, perdoar a outras pessoas e aceitar o perdão delas. É sumamente importante ser ativo na busca da virtude. Agir da boca para fora não é suficiente. O conhecimento intelectual sem a aplicação do remédio não é suficiente. Expressar o amor que se tem, é".

10

> *"Sei que já estive aqui antes,*
> *Mas onde e quando não sei dizer;*
> *conheço a relva que há lá fora,*
> *o cheiro doce e penetrante,*
> *as luzes da praia, o som sussurrante.*
> *Já foste minha algum dia –*
> *Há quanto tempo não sei dizer:*
> *Mas no momento em que viraste o rosto*
> *para seguir o vôo daquele pássaro,*
> *foi como se um véu caísse, – eu vira aquilo antes".*
>
> Dante Gabriel Rossetti

Pedro havia regredido a uma vida difícil. Às vezes, as vidas mais difíceis oferecem maior oportunidade de aprendizagem, oportunidade de progredir mais rapidamente em nosso caminho. Quase sempre as vidas relativamente fáceis oferecem menos chance de progresso. São momentos de repouso. E aquela definitivamente não era uma das vidas mais fáceis.

Imediatamente, Pedro se pôs colérico, trincando os dentes.

– Estão me obrigando a ir, e eu não quero ir ... Não desejo esse tipo de vida!

– Para onde querem que você vá?

– Para o mosteiro, para ser um monge ... Eu não quero isso! – repetiu ele.

Ficou em silêncio durante algum tempo, ainda zangado. Depois, começou a explicar:

– Eu sou o filho mais moço, e os meus pais esperam que eu obedeça. Mas não quero deixá-la... estamos apaixonados mas, se eu for, ela será de outro, não minha. ... Não posso suportar isso. Prefiro morrer.

Mas não morreu. Em vez disso, resignou-se gradualmente ao inevitável. Teve de separar-se de sua amada, o que lhe cortou o coração, mas continuou a viver.

Os anos se passaram.

– As coisas não são tão más agora. A vida é tranqüila. Fiz grande amizade com o abade e decidi ficar com ele.

Depois de mais um momento de silêncio, um reconhecimento.

– Ele é o meu irmão ... o meu irmão. Sei que é ele. Somos muito amigos. Conheço aqueles olhos!

Pedro havia finalmente reencontrado o seu falecido irmão. Eu sabia que agora a sua dor começaria a desaparecer. Os dois haviam de fato estado juntos antes. E por isso poderiam estar juntos de novo.

Mais anos se passaram. O abade envelheceu.

– Ele vai me deixar em breve – previu ele. – Mas voltaremos a estar juntos, no céu ... é o que pedimos em nossas orações.

O abade não tardou a morrer, e Pedro sofreu muito.

Rezou e meditou, e aproximou-se a hora de sua morte. Contraíra tuberculose e tossia muito. Tinha dificuldade em respirar. Seus irmãos espirituais se reuniram em volta do seu leito de morte.

Deixei-o passar rapidamente para o outro lado. Não era necessário sofrer de novo.

– Aprendi a respeito da ira e do perdão – começou ele, sem esperar que eu perguntasse quais haviam sido as lições daquela existência. – Aprendi que a ira é insensata. Ela nos devora a alma. Meus pais fizeram o que achavam melhor para mim e para eles. Não compreendiam a intensidade de minhas paixões, nem entendiam que eu tinha o direito de decidir o rumo de minha vida. Eram ignorantes ... mas eu também tenho sido ignorante, comandando a vida de outras pessoas. Como posso julgá-los ou sentir rancor por eles, quando fiz o mesmo?

Tornou a calar-se antes de prosseguir:

– É por isso que o perdão é tão importante. Todos já fizemos aquilo pelo qual condenamos os outros. Se quisermos ser perdoados, devemos perdoá-los. Deus nos perdoa. Nós também devemos perdoar.

Estava ainda revendo as lições:

– Eu não teria encontrado o abade se fizesse o que achava que devia fazer – concluiu ele. – Sempre há compensação, sempre misericórdia, sempre bondade se a procurarmos. Se eu permanecesse irado e amargo, se guardasse o ressentimento, teria perdido o amor e a bondade que encontrei no mosteiro.

Houve também outras lições menores:

– Aprendi acerca do poder da oração e da meditação.

Ficou novamente em silêncio enquanto refletia sobre as lições e implicações daquela vida santa.

– Talvez tenha sido melhor sacrificar o amor romântico – conjeturou – em favor do amor maior de Deus e de meus irmãos.

Eu não tinha certeza, nem ele. Vários séculos depois,

na Alemanha, Pedro/Magda escolhera um caminho bem diferente.

A próxima etapa da viagem de Pedro, em busca de um ponto de encontro entre o amor espiritual e o amor romântico, ocorreu imediatamente após a sua recordação do monge.

– Estou sendo puxado de volta para outra vida – anunciou ele abruptamente. – Preciso ir!

– Vá – disse eu. – O que está acontecendo?

Durante alguns instantes, ele não falou. Depois:

– Estou caído no chão, gravemente ferido ... Há alguns soldados por perto. Eles me arrastaram pelo chão, por cima das pedras ... Estou morrendo!

Arquejava.

– A minha cabeça e o meu flanco dóem terrivelmente – murmurou ele, com um fio de voz. – Eles já não estão interessados em mim.

O resto da história daquele pobre homem foi surgindo aos poucos.

Quando ele parou de lutar, os soldados se foram. Ele pôde vê-los em torno de seu corpo, usando uniformes e botas de couro. Não pareciam felizes. Estavam se divertindo, mas não pretendiam matá-lo. Não estavam tristes. Aquela gente não valia grande coisa. Pensando bem, tudo fora uma travessura malsucedida.

A filha correu para ele, gritando e soluçando, e docemente aninhou a cabeça do pai em seu colo. Embalava-o ritmicamente, e ele sentia a vida esvair-se do seu corpo dilacerado. Suas costelas deviam estar quebradas, pois havia uma dor aguda cada vez que respirava. Na boca, sentiu um gosto de sangue.

Suas forças agora diminuíam rapidamente. Tentou falar com

a filha, mas não conseguiu pronunciar uma só palavra. Um ruído distante vinha de algum lugar das profundezas do seu corpo.

– Eu te amo, papai – ouviu a filha dizer.

Estava fraco demais para responder. Amava muito aquela filha, de quem sentiria enorme falta.

Fechou os olhos pela última vez, e a dor cruel desapareceu. Sem saber como, ainda podia ver. Sentia-se extremamente leve e livre. Viu-se olhando para baixo, onde estava o seu corpo maltratado, a cabeça e os ombros repousando sobre os joelhos da filha. Ela chorava, completamente inconsciente do fato de que ele agora estava em paz, que a dor havia desaparecido. Via apenas o seu corpo, um corpo que já não o continha, e o embalava ininterruptamente.

Ele podia deixá-la agora, se quisesse. Ela estaria em boas mãos. Devia apenas lembrar que também se separaria do corpo quando a hora chegasse.

Percebeu uma luz maravilhosa, mais brilhante e mais bela que a de mil sóis, mas que não o ofuscava. Alguém, dentro ou próximo à luz, lhe fazia sinais. Era a avó! Parecia tão jovem, tão radiante, tão saudável. Desejou estar com ela, e imediatamente viu-se ao seu lado no centro daquele jorro luminoso.

"É bom vê-lo novamente, meu filho – pensou ela, as palavras surgindo na consciência dele. – Faz tanto tempo!"

Ela o abraçou com os braços do espírito, e os dois caminharam juntos para dentro da luz.

A fascinante história de Pedro absorveu-me inteiramente. Emocionado pela dor que ele sentia ao separar-se da filha, eu compreendia a profunda tristeza de suas últimas palavras. No entanto, eu me alegrava com o seu encontro luminoso com a avó.

Se eu não estivesse tão dominado pelas emoções do momento, que me traziam de volta a trágica lembrança da morte do meu filho, talvez minha mente tivesse feito a conexão entre Pedro e Elizabeth.

Eu escutara antes as palavras da filha. Como Miriam, Elizabeth amparara a cabeça do pai moribundo, embalando-o sobre o solo manchado de sangue, e murmurara o mesmo lamento. As histórias eram extraordinariamente parecidas.

Naquele momento, não apenas a emoção me turvava a mente, mas também várias semanas haviam transcorrido – e eu atendera dúzias de pacientes – desde que ouvira a narrativa de Elizabeth, o que contribuía para toldar ainda mais a minha percepção.

A descoberta da interligação do destino dos dois se daria mais tarde.

⋆ ⋆ ⋆

Minha mente recuou para a curta vida do meu primeiro filho, Adam. Acho que o que provocou aquela lembrança foi a imagem da dor da filha de Pedro naquela vida antiga, enquanto ela amparava o corpo do pai moribundo.

Carole e eu havíamos nos amparado um ao outro após o telefonema que recebemos do médico, no hospital, nas primeiras horas da manhã. A vida de Adam durara apenas vinte e três dias. Um esforço heróico, uma operação de tórax aberto não conseguiu salvar-lhe a vida. Choramos e procuramos nos amparar mutuamente. Naquele momento, era só o que podíamos fazer.

Nossa dor parecia sobre-humana, maior do que a nossa capacidade física e mental de suportá-la. Até mesmo respirar era difícil. Nosso peito doía quando respirávamos fundo, e mal podíamos inalar, como se um espartilho de aço estivesse oprimindo o nosso peito.

Com o tempo, a intensidade e a agudeza de nossa dor diminuiu, mas o vazio permaneceu em nossos corações. Tínhamos Jordan e tínhamos Amy, e ambos eram filhos inigualáveis e especiais, mas não podiam substituir Adam.

Ainda assim, a passagem do tempo ajudou. Como as pequenas vibrações em um lago depois que uma pedra perturba a sua superfície tranqüila, as ondas de dor foram se afastando lentamente. Como as primeiras ondas que se formam bem perto da pedra, tudo em nossa vida estava ligado a Adam.

Com o tempo, a vida trouxe pessoas e experiências novas. Não estavam tão diretamente ligadas a Adam e à nossa dor. Pequenas ondulações, espalhando-se sempre para fora. Mais eventos novos, mais coisas novas, mais pessoas novas. Espaço para respirar. Era-nos possível respirar fundo novamente. Nunca se esquece a dor mas, à medida que o tempo passa, aprende-se a viver com ela.

Encontramos Adam de novo dez anos depois, em Miami. Ele falou conosco através de Catherine, a paciente descrita em *Muitas Vidas, Muitos Mestres*, e a nossa vida mudou para sempre. Após dez anos de dor, começamos a compreender a imortalidade das almas.

11

"O homem vive e morre muitas vezes
entre as suas duas eternidades,
a da raça e a da alma,
e a velha Irlanda conhecia a ambas.
Quer o homem morra em seu leito
ou uma bala ponha fim aos seus dias,
uma breve despedida dos entes queridos
é o pior que ele tem a temer.
E embora seja longo o trabalho dos coveiros,
afiadas as suas enxadas, fortes os seus músculos,
eles apenas devolvem os que enterraram
mais uma vez à memória dos homens.

W. B. Yeats

Elizabeth chorava em silêncio, reclinada no costumeiro divã. No rosto, o rímel escorria-lhe dos olhos em linhas irregulares. Dei-lhe um lenço de papel e ela o levou distraidamente aos olhos, enquanto as linhas de rímel desciam cada vez mais velozes em direção ao queixo.

Acabara de narrar uma vida em que fora irlandesa, uma vida que terminara tranqüilamente, em meio a muita felicidade. Mas o enorme contraste com a sua vida atual, cheia de perdas e desespero, causava-lhe dor. Por isso ela chorava, apesar do final feliz. Suas lágrimas eram de tristeza, não de alegria.

A sessão daquele dia começara de modo bem menos dramático. Só recentemente Elizabeth havia recobrado a energia e a auto-confiança para começar um relacionamento, desta vez um breve caso com um homem mais velho. De início, sentira-se atraída pelo dinheiro e posição dele. Mas a química do amor estava ausente, pelo menos da parte dela. Sua mente lhe dizia para ficar com ele, aceitar o fato de que ele representava segurança, parecia gostar bastante dela – e, afinal, quem mais existia para ela?

Mas o coração de Elizabeth dizia não. Não estabeleça uma união com ele. Você não o ama e, quando não há amor, o que pode existir?

O argumento do coração terminou vencendo. Ele insistia em aprofundar o relacionamento com ela, mantendo relações sexuais, assumindo compromissos. Elizabeth decidiu pôr fim àquilo. Sentiu-se aliviada, triste por estar novamente sozinha, mas não deprimida. De modo geral, estava enfrentando muito bem o fim daquela relação. E, no entanto, ali estava ela, chorando, de olhos vermelhos, o rímel escorrendo pelo rosto.

Quando começamos o processo de regressão, Elizabeth caiu em transe profundo, e eu a levei de volta no tempo mais uma vez. Dessa vez ela ressurgiu na Irlanda, vários séculos antes.

– Sou bonita – comentou imediatamente depois de se encontrar. – Tenho cabelos negros e olhos azuis ... Minhas roupas são muito simples, e não uso maquiagem nem jóias. É como se estivesse me escondendo. A minha pele é clara como leite.

– Escondendo-se de quem? – perguntei, tentando esmiuçar o que ela dissera.

Elizabeth ficou em silêncio durante alguns instantes, à procura de uma resposta.

– De meu marido ... sim, dele. Oh, ele é um grosseirão! Bebe demais e fica violento ... É um egoísta! Amaldiçôo este casamento!

– Por que o escolheu? – perguntei.

– Não fui eu que o escolhi ... Eu jamais o escolheria. Meus pais o escolheram e agora estão mortos ... mas eu continuo tendo de viver com ele. Ele é tudo o que eu tenho agora.

Uma frágil tristeza juntava-se ao rancor em sua voz.

– Vocês têm filhos? Alguém mais vive com vocês?

– Não. – O rancor diminuía, mas a tristeza era agora mais evidente. – Não posso. Tive um ... aborto. Perdi muito sangue ... sofri uma infecção. Dizem que não posso mais ter filhos.

Novamente mostrou-se contrariada.

– Ele me bate – acrescentou, em voz baixa. – Bate-me como se eu fosse um cão. E eu o odeio por isso.

Parou de falar e os olhos novamente se encheram de lágrimas. Esperei ouvir mais, mas ela relutava em estender-se naquele assunto.

– Você não pode impedi-lo?

– Às vezes tento impedi-lo. Eu costumava reagir batendo também, mas ele me machucava mais. Bebe demais. O melhor que posso fazer é aceitar as pancadas. Chega um ponto em que ele se cansa e pára ... até a próxima vez.

– Olhe bem para ele – pedi. – Olhe nos olhos dele. Veja se consegue reconhecê-lo como alguém em sua vida atual.

Elizabeth apertou os olhos, a testa franzida, como se estivesse procurando distinguir alguma coisa, embora de pálpebras fechadas.

– Mas ... eu realmente o conheço! É George!

Ela havia reconhecido o banqueiro, George, com quem tivera um relacionamento ano e meio antes. A relação havia terminado quando George começara a agredi-la fisicamente.

Comportamentos como a agressividade podem persistir ao longo de muitas vidas se não forem reconhecidos e corrigidos. Em algum nível subconsciente, Elizabeth e George se haviam lembrado um do outro. Haviam se unido novamente e ele tentara reiniciar a agressão. Mas Elizabeth aprendera importante lição ao longo dos séculos. Dessa vez, tivera a força e o amor próprio necessários para pôr fim àquele relacionamento antes que a agressão começasse. Quando as origens em uma vida passada são descobertas, é ainda mais fácil corrigir comportamentos destrutivos.

Olhei para Elizabeth. Estava calma, mas parecia triste e desamparada. A informação que me dera sobre o marido agressivo me bastava, e decidi fazê-la passar adiante no tempo.

– Farei uma contagem regressiva de três para um, e tocarei de leve em sua testa – disse eu. – Quando eu fizer isso, passe ao próximo evento importante dessa vida. Concentre-se nele enquanto eu conto. Veja o que lhe acontece.

Assim que cheguei ao número “um”, ela começou a sorrir, feliz. Ainda bem, pensei, alguma coisa boa acontecera naquela vida de desolação.

– Ele morreu, graças a Deus, e sinto-me tão feliz! – exclamou. – Estou com um homem a quem amo. É um homem bom e delicado. Nunca me bate. Nós nos amamos. Somos felizes vivendo ao lado um do outro.

O sorriso de felicidade continuava.

– Como o seu marido morreu? – perguntei.

– Em um botequim – respondeu, o sorriso morrendo em seus lábios. – Morreu em uma briga. Dizem-me que foi esfaqueado no peito e a faca deve ter-lhe atingido o coração. Contam-me que havia sangue por toda parte.

E comentou:

– A morte dele não me deixou triste. De outra forma, eu não poderia ter conhecido John, que é um homem maravilhoso.

O sorriso radiante voltou. Mais uma vez insisti:

– Passe adiante no tempo e veja o que acontece a você e a John. Vá para o próximo evento importante da vida de vocês.

Ela ficou em silêncio, esmiuçando os anos.

– Estou muito fraca – disse, arquejante. – Meu coração bate muito irregularmente. Não consigo respirar direito!

Havia-se adiantado até o dia da morte.

– John está com você? – perguntei.

– Claro que sim. Está sentado ao meu lado, na cama, segurando a minha mão. Ele é muito solícito e atencioso. Sabe que vai me perder. Isso nos entristece, mas estamos felizes por termos vividos tantos anos juntos.

Fez uma pausa, recordando a cena com John ao seu lado. Só o relacionamento de Elizabeth com a mãe atingira o alto nível de amor, alegria e intimidade que havia entre ela e John.

– Olhe atentamente para John. Mire-lhe o rosto e os olhos. Veja se o reconhece como alguém em sua vida atual.

O reconhecimento costuma ocorrer imediatamente com uma certeza absoluta quando o paciente olha nos olhos da outra pessoa. Os olhos talvez sejam mesmo as janelas da alma.

– Não – disse ela simplesmente. – Não o conheço.

Fez nova pausa, depois voltou a falar, alarmada:

– O meu coração está parando. Bate muito irregularmente. Acho que estou prestes a deixar este corpo.

– Tudo bem. Saia deste corpo. Diga-me o que lhe acontece.

Alguns instantes depois, ela passou a descrever os eventos que se sucederam à sua morte. O rosto estava tranqüilo, a respiração sossegada.

– Estou flutuando acima e para o lado do meu corpo, próxima a um canto do teto. Vejo John sentado ao lado de meu corpo inerte. Ele fica ali, sentado, sem querer me deixar. Sabe que vai ficar completamente só. Nós tínhamos somente um ao outro.

– Nunca tiveram filhos? – indaguei.

– Não, eu não podia. Mas isso não era importante. Tínhamos um ao outro e isso nos bastava.

Voltou a ficar em silêncio, o rosto ainda muito tranqüilo, um pequeno sorriso delineando-se em seus lábios.

– É tão bonito o lugar onde estou! Há uma bela luz em toda a minha volta. A luz me atrai e eu quero segui-la. É uma luz maravilhosa, que nos devolve as energias!

– Siga adiante – disse eu, concordando.

– Atravessamos um lindo vale, com árvores e flores por toda parte ... Estou aprendendo muitas coisas, recebo muitas informações, muitos conhecimentos. Mas não quero esquecer John. *Preciso* lembrar-me de John e, se aprendesse tudo isso, poderia esquecê-lo. Não posso esquecê-lo!

– Você se lembrará de John também – disse eu, embora não tivesse certeza.

Perguntei-lhe qual era esse conhecimento que lhe estava sendo oferecido.

– É a respeito de vidas e energias, acerca de como usamos as nossas existências para passar a mundos superiores. Estão me falando acerca de energia e de amor, e de como essas duas coisas são uma só ... quando compreendemos o que o amor *realmente* é. Mas não quero me esquecer de John!

– Eu farei com que você recorde tudo a respeito dele quando despertar. Há mais alguma coisa?

– Não, por enquanto é só ... – Mas acrescentou: – Podemos aprender mais a respeito do amor ouvindo as nossas intuições.

Talvez este último comentário tivesse outros níveis de significado, especialmente para mim. Anos antes, os Mestres, falando através de Catherine, me haviam dito, no fim das sessões de terapia da paciente e das revelações que me haviam feito: "O que lhe dissemos é para o seu uso imediato. Doravante você deve aprender através de suas intuições."

Agora Elizabeth repousava. Naquele dia não haveria outras revelações. Despertei-a e, depois que a sua mente voltou a orientar-se para a vida atual, ela se pôs a soluçar baixinho. Perguntei-lhe por que estava chorando.

– Porque eu o amava tanto, e não creio que jamais possa amar novamente outra pessoa tanto assim. Jamais encontrei outro homem a quem eu pudesse amar assim, e que me amasse da mesma forma. E sem esse amor, como pode a minha vida ser completa? Como poderei ser completamente feliz?

– Nunca se sabe – objetei, sem muita convicção. – Você *pode* vir a encontrar alguém e apaixonar-se loucamente mais uma vez. Pode até encontrar John novamente, em outro corpo.

– Sei – disse ela, com uma certa ironia, enquanto continuava a chorar. – Você está apenas querendo me consolar. Para mim seria mais fácil tirar a sorte grande na loteria do que encontrar John novamente.

Lembrei-me que as chances de alguém ganhar a loteria eram de uma em quatorze milhões.

⋆ ⋆ ⋆

Em *A Cura através da Terapia de Vidas Passadas*, descrevi o reencontro de Ariel e Anthony.

O reencontro de duas almas gêmeas depois de longa e involuntária separação costuma ser uma experiência pela qual vale a pena esperar – ainda que a espera leve séculos.

Durante umas férias no sudoeste dos Estados Unidos, minha ex-paciente, a bióloga Ariel, conheceu um australiano chamado Anthony. Ambos eram emocionalmente maduros e já haviam sido casados, mas rapidamente se apaixonaram e decidiram casar-se. De volta a Miami, Ariel sugeriu que Anthony tivesse uma sessão de regressão comigo, só para sentir se era capaz de ter tal experiência e "ver o que acontecia". Estavam ambos curiosos de saber se Ariel apareceria de alguma forma na regressão de Anthony.

Anthony mostrou-se um extraordinário paciente de regressão. Quase imediatamente regrediu a uma vida muito nítida no Norte da África, aproximadamente na época de Aníbal, há mais de dois mil anos. Anthony pertencera a uma civilização muito avançada. Os membros de sua tribo tinham pele clara, sabiam fundir o ouro e usar fogo líquido como arma, espalhando-o na superfície dos rios. Anthony era um jovem de vinte e poucos anos, em meio a uma guerra de quarenta dias com uma tribo vizinha, de pele mais escura, muito mais numerosa que a sua.

Na verdade, a tribo de Anthony treinara alguns dos membros da tribo inimiga na arte da guerra, e um dos seus ex-alunos estava dirigindo o ataque. Cem mil membros da tribo inimiga, portando espadas e machadinhas, vinham atravessando um grande rio, por meio de cordas, quando Anthony e o seu povo espalharam fogo líquido nas águas, esperando que os atacantes fossem atingidos antes que alcançassem a margem.

Para defender as mulheres e crianças, a tribo de Anthony colocou-as em grandes barcos, munidos de grandes velas roxas, no meio de um enorme lago. Neste grupo estava a jovem e amada noiva de Anthony, que tinha talvez dezessete ou dezoito anos. De repente, porém, o fogo líquido escapou ao controle e os barcos pegaram fogo. A maioria das mulheres e crianças da tribo pereceu nesse trágico desastre, inclusive a noiva de Anthony, que era a sua grande paixão.

A tragédia quebrou o moral dos guerreiros, que logo foram derrotados. Anthony foi um dos poucos que escaparam da chacina, graças a uma brutal luta corpo a corpo. Finalmente, conseguiu escapar por uma passagem secreta que levava a uma série de salas sob o grande templo, onde os tesouros da tribo eram guardados.

Lá Anthony encontrou outra pessoa viva, o rei da tribo. O rei ordenou que Anthony o matasse e ele, soldado leal que era, cumpriu a ordem recebida. Após a morte do rei, Anthony ficou a sós na penumbra do templo, onde escreveu a história do seu povo em folhas de ouro, vedando os escritos em grandes urnas ou jarras. Foi ali que ele mais tarde morreu de fome e de dor pela perda de sua noiva e do seu povo.

Houve ainda mais um detalhe. A jovem que era sua noiva naquela vida reencarnou como Ariel na vida atual. Os dois haviam se reunido como amantes dois mil anos depois. Finalmente o casamento adiado por tanto tempo iria realizar-se.

Anthony separara-se de Ariel durante apenas uma hora quando saiu do meu consultório. Mas a força do reencontro era tal que parecia que não se viam há dois mil anos.

Recentemente, Anthony e Ariel se casaram. O súbito e intenso reencontro dos dois tinha agora para eles um novo significado, e o seu relacionamento, que já era apaixonado, possui agora um sabor de contínua aventura.

Anthony e Ariel planejam ir ao Norte da África, tentando identificar o local da vida passada em que estiveram juntos, e descobrir outros detalhes. Sabem que o que quer que encontrem só pode aumentar a sensação de aventura que os une.

12

"Talvez eu não seja rei em minha vida futura, mas tanto melhor: continuarei a viver uma vida ativa e, ainda por cima, colherei menos ingratidão".

Frederico o Grande

Ele agora suava profusamente pela segunda vez, apesar do forte condicionador de ar do meu consultório. O suor escorria-lhe pelo rosto, encharcava-lhe a camisa, rolava-lhe pelo pescoço. Um momento antes, ele sentira arrepios de febre e o seu corpo tremia. Mas a malária agia assim, alternando um frio de gelar os ossos com intenso calor. Francisco estava morrendo dessa doença, sozinho e a milhares de quilômetros de seus entes queridos. Era uma morte dolorosa e terrível.

Pedro começara aquela sessão caindo em profundo e relaxado estado hipnótico. Rapidamente recuou no tempo e no espaço, chegando a uma vida passada, mas logo passou a suar. Tentei enxugar-lhe o rosto com lenços de papel, mas era como tentar impedir um dilúvio com as mãos. O suor continuava a jorrar. Minha esperança era que o desconforto físico causado por todo aquele suor não afetasse a profundidade e intensidade do seu estado de transe.

– Sou um homem ... de cabelos escuros e pele queimada de sol – disse ele arquejante, enquanto suava. – Estou descarregando um grande navio de madeira ... carga pesada ... faz um calor infernal aqui dentro ... Vejo palmeiras e algumas pequenas casas de madeira por perto ... Sou um marinheiro ... estamos no Novo Mundo.

– Sabe como se chama? – perguntei.

– ... Francisco ... meu nome é Francisco. Sou um marinheiro.

Eu queria referir-me ao nome do lugar, mas ele se lembrara do nome que tinha naquela existência.

– Sabe o nome do lugar? – perguntei novamente.

Ele fez uma pequena pausa, ainda suando profusamente, e respondeu:

– Não vejo isso ... um desses malditos portos ... existe ouro por aqui – acrescentou – na selva... em algum lugar daquelas montanhas distantes. Iremos encontrá-lo ... parte do que eu encontrar será meu ... este maldito lugar!

– De onde você é? – indaguei, querendo saber de outros detalhes. – Sabe onde fica a sua terra natal?

– No outro lado do mar – respondeu ele pacientemente. – Na Espanha ... é de lá que viemos.

Ele se referia aos seus companheiros marinheiros que descarregavam a carga de um navio sob um sol inclemente.

– Tem família na Espanha? – perguntei.

– Minha mulher e meu filho estão lá ... Sinto muita falta deles, mas estão muito bem ... especialmente com o ouro que lhes enviarei. Minha mãe e minhas irmãs também vivem lá. Não é uma vida fácil. Sinto muita falta de todos ...

Eu queria saber mais sobre sua família.

– Levarei você de volta no tempo – disse eu a Francisco –

de volta à sua família na Espanha, para a última vez em que estiveram juntos, antes dessa viagem ao Novo Mundo. Tocarei de leve em sua testa e contarei de três a um. Quando eu chegar a um, você estará de novo na Espanha com a sua família e poderá lembrar-se de tudo. Três .. dois ... um. Veja-se lá!

Os olhos de Pedro moviam-se sob as pálpebras fechadas enquanto ele examinava a cena.

-Vejo a minha mulher e o meu filho pequeno. Estamos sentados para uma refeição ... Vejo a mesa e as cadeiras de madeira ... minha mãe também está lá – observou ele.

– Fixe-se no rosto deles, nos olhos deles – disse eu. – Veja se reconhece neles alguma pessoa de sua vida atual.

Eu temia que as mudanças de uma vida para outra desorientassem Pedro e o fizessem deixar inteiramente a época de Francisco. Mas ele se saiu muito bem.

– Reconheço o meu filho. É o meu irmão ... sim, ele é Juan ... como é bonito!

Ele encontrara o irmão antes, na pessoa do abade, quando Pedro era monge. Embora nunca os houvéssemos encontrado como amantes, Juan era uma alma gêmea que seguia Pedro constantemente. A ligação espiritual entre os dois era maravilhosamente íntima.

Ignorando a mãe, ele se concentrou inteiramente na jovem esposa.

– Temos um profundo amor um pelo outro – comentou – ... mas não a reconheço na vida atual. Nosso amor é muito forte.

Ficou em silêncio algum tempo, saboreando a recordação da jovem esposa e o profundo amor que existira entre eles, quatrocentos ou quinhentos anos antes, em uma Espanha muito diferente da Espanha de hoje.

Iria Pedro conhecer esse tipo de amor em sua vida atual? A alma da esposa de Francisco atravessaria também os séculos para estar aqui mais uma vez e, nesse caso, eles se encontrariam?

Levei Francisco de volta ao Novo Mundo e à sua busca de ouro.

– Volte ao porto – disse eu – no qual você estava descarregando o navio. Em seguida, passe adiante no tempo e vá para o próximo evento mais importante na vida daquele marinheiro. Quando eu contar de três até um e tocar a sua testa, focalize tudo claramente ... o próximo evento importante. Três ... dois ... um. Agora.

Francisco se pôs a tremer.

– Sinto muito frio – queixou-se – mas *sei* que aquela febre infernal irá voltar!

Tal como ele previa, alguns instantes depois o suor intenso recomeçou.

– Maldição! – exclamou. – Isso vai me matar, essa doença ...e os outros me deixaram para trás ...sabendo que eu não posso continuar ... Sabem que não posso sobreviver ...Estou fadado a morrer neste lugar amaldiçoado por Deus. Nem chegamos a encontrar a fortuna em ouro que dizem haver aqui.

– Você sobrevive a essa doença? – indaguei delicadamente.

Ele se manteve em silêncio enquanto esperávamos a resposta.

– Ela vai me matar. Não conseguirei sair da selva ... a febre vai me matar e eu não verei mais a minha família. Eles sofrerão muito com a minha morte ... meu filho é tão pequeno ...

As gotas de suor agora se misturavam a lágrimas em seu rosto. Ele sofria com a sua morte prematura, a sós em uma terra estrangeira, de uma doença estranha, imune à destreza de qualquer marinheiro.

Mandei que ele se separasse do corpo de Francisco, e ele flutuou, em um estado de calma e tranqüilidade, livre da febre e da dor, para além do desgosto e do sofrimento. O rosto estava agora muito mais calmo e relaxado e deixei que ele repousasse.

Meditei sobre essa série de perdas nas vidas de Pedro. Tantas separações de seus entes queridos! Tanto pesar! Quando ele saísse da névoa incerta do tempo, conseguiria encontrá-los de novo?

As vidas de Pedro continham muitas tramas, não só perdas. Naquela regressão, ele se lembrava de ter sido um espanhol, mas fora também um soldado inglês, morto pelo inimigo espanhol quando as forças inglesas invadiram-lhe a fortaleza. Lembrava-se de ter sido homem e de também ter sido mulher. Em algumas vidas, era um guerreiro; em outras, um sacerdote. Perdera seres amados e os havia encontrado.

Depois de morrer como monge, rodeado de sua família espiritual, Pedro analisara as lições daquela existência:

– ... O perdão é muito importante – dissera-me ele. – Todos nós fizemos aquilo que condenamos nos outros ... temos de perdoá-los.

As vidas de Pedro exemplificavam esta mensagem. Era preciso aprender de todos os modos para ser realmente capaz de compreender. Isso acontece com todos nós. Mudamos de religião, de raça, de nacionalidade. Vivemos vidas de riqueza extrema e de abjeta pobreza, de doença e de bem-estar.

Devemos aprender a rejeitar qualquer preconceito e ódio. Os que não o fizerem, simplesmente trocarão de lado, voltando no corpo de seus inimigos.

☆ ☆ ☆

Em sua canção *Tears in Heaven*, Eric Clapton se pergunta se o seu filho pequeno, que morrera tragicamente em um acidente, se lembraria do seu nome quando eles se encontrassem no céu.

Trata-se de uma pergunta universal e eterna. Como iremos reconhecer os nossos entes queridos? Será que os conheceremos e eles nos conhecerão, se e quando nos encontrarmos novamente, no céu ou aqui mesmo, mais uma vez em corpos físicos?

Muitos dos meus paciente simplesmente parecem saber. Ao reverem suas vidas passadas, olham nos olhos de um companheiro espiritual e sabem. No céu ou na terra, sentem certa vibração ou energia, a mesma vibração ou energia daqueles que amavam. Vislumbram a personalidade mais profunda e há um reconhecimento interno. Um reconhecimento que vem do coração. Estabelece-se uma ligação.

Uma vez que os olhos do coração são os primeiros a ver, as palavras por si sós não podem transmitir a segurança no reconhecimento da alma. Não há vacilações nem confusão. O corpo pode ter sido muito diferente do atual, mas a alma é a mesma. A alma é reconhecida e o reconhecimento é completo e absoluto.

Às vezes, o reconhecimento da alma pode vir da mente, antes mesmo que o coração o perceba. Este tipo de reconhecimento costuma ocorrer com bebês ou crianças pequenas. Através de um gesto, de um determinado comportamento, de uma palavra ou frase, um pai ou avô amado é instantaneamente reconhecido. Podem ter alguma cicatriz ou sinal de nascença, igual ao ser amado, ou talvez apenas segurem a nossa mão ou olhem em nossos olhos com o mesmo jeito especial. E ficamos sabendo.

No céu, não há sinais de nascença. O filho de Eric Clapton o ajudaria no céu?, pergunta a canção. Seguraria a mão de Eric? Iria ajudá-lo a ficar de pé?

No céu, onde os corpos físicos não são necessários, o reconhecimento da alma pode ocorrer através de um conhecimento interior, uma sensação da energia especial, da luz ou da vibração dos nossos entes queridos. A pessoa os *sente* no coração. Há nisso um saber profundo e intuitivo, e a pessoa os reconhece completa e imediatamente. Eles podem até nos ajudar, assumindo o corpo que tinham durante a última encarnação ao nosso lado. Nós os vemos como eles apareceram aos nossos olhos na terra, geralmente mais jovens e mais sadios.

Clapton conclui que encontrará a paz ao cruzar as portas do céu.

Seja por trás das portas do céu, da porta da recordação de uma vida passada ou da porta que leva a vidas futuras na companhia de nossos entes queridos, nunca estaremos sós. Eles saberão o nome que temos. Segurarão a nossa mão. Trarão paz e alívio ao nosso coração.

Repetidamente os meus pacientes, quando profundamente hipnotizados, me dizem que a morte não é um acidente. Quando um bebê ou uma criança pequena morre, nos é dada a oportunidade de aprender lições importantes. Eles são nossos professores, ensinando-nos acerca de valores, prioridades e, principalmente, do amor.

Muitas vezes, as lições mais importantes surgem dos tempos mais difíceis.

13

"Nosso nascer não passa de um sono e de um esquecimento;
a Alma que nasce conosco, o Sol de nossa vida,
teve o seu ocaso em outro lugar,e vem de longe,
não em completo olvido
e não inteiramente nua.
Mas trazemos conosco nuvens de esplendor,
vindos de Deus, que é o nosso lar.
O céu está em torno de nós em nossa infância!"

William WordsWorth

Apesar do seu sucesso em recordar várias vidas passadas, Elizabeth continuava sob o peso da dor. Intelectualmente começara a aceitar o conceito da continuidade da alma e da recorrência da consciência em corpos físicos subseqüentes. Tivera a experiência do reencontro de almas gêmeas ao longo dessa jornada. Mas as recordações não lhe traziam de volta a *mãe*, não fisicamente. Ela não podia abraçá-la nem falar com ela – e sentia muito a sua falta.

Ao receber Elizabeth em meu consultório naquele dia, decidi experimentar algo diferente, algo que eu fizera com diferentes graus de sucesso no caso de outros pacientes. Como sempre, eu a ajudaria a alcançar um estado de profundo relaxamento. Em seguida, eu a faria visualizar um belo jardim, caminhar por esse jardim e repousar. E quando estivesse repousando, sugeriria que um visitante iria ter com ela no jardim, e que ela poderia comunicar-se com ele em pensamentos, voz, visão, sensações e de qualquer outra maneira.

Tudo o que Elizabeth sentisse a partir desse ponto viria de sua própria mente, não de minhas sugestões.

Ela se acomodou no mesmo divã de couro e logo ingressou no tranqüilo estado hipnótico. Fiz uma contagem regressiva, de dez até um, aprofundando ainda mais o nível do transe. Ela se imaginou descendo uma escada em caracol. Quando chegou ao fim dos degraus, visualizou o jardim à sua frente. Caminhou pelo jardim e encontrou um lugar para descansar. Falei-lhe acerca do visitante e aguardamos.

Dali a pouco, ela percebeu uma linda luz que se aproximava. No silêncio do consultório, Elizabeth começou a chorar baixinho.

– Por que está chorando? – perguntei.

– É minha mãe ... vejo-a dentro da luz. Ela está tão bonita, tão jovem! Como é bom ver você – acrescentou, falando agora diretamente com a mãe.

Elizabeth sorria e chorava ao mesmo tempo.

– Você pode falar com ela, pode comunicar-se com ela – disse eu.

A partir daí, nada mais disse, pois não queria interferir no reencontro. Elizabeth não estava repassando uma lembrança do passado, nem estava revendo algum evento recente. Aquela experiência estava ocorrendo naquele instante.

O encontro com a mãe estava se realizando vívida e emocionalmente na mente de Elizabeth. O fato de esse reencontro ser tão nítido em sua mente conferia considerável realidade à sua experiência. Agora era possível ajudá-la a curar sua dor.

Ficamos ambos sentados em silêncio durante vários minutos, um silêncio pontilhado às vezes por pequenos suspiros. De vez em quando, eu via uma lágrima rolar pelo rosto de Elizabeth. Ela sorria freqüentemente. Por fim, começou a falar.

– Ela se foi agora – disse Elizabeth, muito calma. – Ela precisava ir, mas voltará.

Permanecia profundamente tranqüila, os olhos fechados, enquanto continuávamos a falar. Perguntei:

– Ela se comunicou com você?

– Sim, e me disse muitas coisas. Disse que eu devia confiar em mim mesma. Disse: "Confie em si mesma. Eu lhe ensinei tudo o que você precisava saber".

– O que isso significa para você?

– Que eu devo acreditar no que sinto e não deixar que outras pessoas me influenciem constantemente ... especialmente *homens.* Disse que houve homens que se aproveitaram de mim porque eu não acreditava bastante em mim mesma e permiti que eles o fizessem. Dei-lhes demasiado poder, negando poder a mim mesma. Não devo mais fazer isso.

E continuou:

– E disse ainda: "Somos todos iguais. Os espíritos não são homens nem mulheres. Você é tão bela e tão forte quanto qualquer outra alma do universo. Não se esqueça disso; não se impressione com a forma física que os espíritos assumem".

– Disse-lhe mais alguma coisa?

– Sim, disse mais.

– O quê? – insisti.

– Que me ama muito – acrescentou Elizabeth em tom suave. – Que está bem. Está ajudando muitas almas no outro lado ... e estará lá sempre para mim ... E que eu fosse paciente. Algo vai me acontecer brevemente, algo importante. E devo confiar em mim mesma.

– O que vai acontecer?

– Não sei – respondeu em voz baixa. – Mas, quando acontecer, devo confiar em mim mesma – acrescentou com uma resolução que eu nunca notara nela antes.

☆ ☆ ☆

Sentado na sala verde do programa de televisão "Donahue", assisti a uma cena espantosamente surrealista. Lá estava Jenny Cockell, uma inglesa de quarenta e um anos, sentada ao lado do filho, Sonny, de setenta e cinco anos, e da filha Phyllis, que tinha sessenta e nove anos na época. A história desses três é bem melhor e mais convincente que a de Bridey Murphy, o famoso caso de reencarnação que marcou época.

Desde a tenra infância, Jenny sabia que, em uma vida passada recente, ela morrera de repente, deixando os seus oito filhos virtualmente órfãos. Conhecia fatos detalhados a respeito da vida deles na Irlanda rural em começos do século XX. Naquela vida, o seu nome era Mary.

A família de Jenny ouvia com certo descrédito suas histórias, mas não havia dinheiro nem interesse para investigar as coisas fantásticas que ela dizia acerca de uma vida de enorme pobreza e tragédia na Irlanda, décadas atrás. Jenny cresceu sem saber se as suas vívidas lembranças eram verdadeiras ou não.

Finalmente, viu-se com os recursos para iniciar a sua pesquisa. Encontrou cinco dos oitos filhos de Mary Sutton, irlandesa que morrera em 1932 em virtude de complicações após o nascimento de seu oitavo filho. Os filhos de Mary Sutton confirmaram muitas das lembranças de Jenny, que eram incrivelmente detalhadas. Convenceram-se de que Jenny era realmente Mary, a "falecida" mãe deles.

E eu estava presenciando o reencontro deles, ali no salão verde do programa "Donahue".

Minha mente divagou, e eu vi a seqüência inicial do velho programa de televisão que levava o título de Ben Casey. Tratava-se de um programa sobre medicina de fins da década de 1950 ou início dos anos 60. Minha mãe, com o seu jeito sutil, me estimulava a assistir a esse programa, me influenciando a seguir a carreira médica.

O programa Ben Casey sempre começava com símbolos universais. O idoso neurocirurgião, que servia de mentor ao jovem Dr. Ben Casey, dizia: "Homem ... Mulher ... Nascimento ... Morte ... Infinito". Ou algo parecido. Mistérios universais, enigmas insolúveis. Sentado no salão verde antes de minha participação no programa "Donahue" como especialista em recordações de vidas passadas, eu encontrava as respostas que haviam escapado ao jovem Ben Casey e a todo mundo.

Homem? Mulher? No decorrer de nossas vidas mudamos de sexo, de religião e de raça a fim de aprendermos a ver a vida de todos os ângulos. Somos todos alunos aqui. Nascimento? Nós realmente nunca morremos, portanto nunca realmente nascemos. Somos todos imortais, divinos, indestrutíveis. A morte nada mais é do que a passagem por uma porta que nos leva a outra sala. Voltamos repetidamente para aprender certas lições como amor, perdão, compreensão, paciência, percepção, ausência de violência. Temos de desaprender aquilo que resulta de antigos condicionamentos, como o medo, a ira, a cobiça, o ódio, o orgulho. Só então nos formamos e podemos deixar a escola. Temos todo o tempo do mundo para aprender e desaprender. Somos imortais, somos infinitos, da mesma natureza de Deus.

Ao ver Jenny e seus filhos idosos, outras coisas me vieram à mente:

"O homem colhe aquilo que semeia". O conceito de carma é expresso praticamente nas mesmas palavras em todas as grandes religiões. Trata-se de sabedoria antiga. Somos responsáveis perante nós mesmos, perante os outros, perante a comunidade, perante o planeta.

Impelida pela necessidade de cuidar dos seus filhos e protegê-los, Jenny foi levada ao encontro deles mais uma vez. Nunca perdemos os nossos entes queridos. Eles voltam a unir-se e reunir-se a nós repetidamente. Que forte energia de união é o amor!

14

"Minha doutrina é: Deves viver de modo a poderes desejar viver novamente – esse é o teu dever – pois, de qualquer forma, viverás novamente!"

Nietzsche

Existem muitas técnicas ou meios de ajudar um paciente a recordar vidas passadas através de hipnose. Um deles é imaginar uma porta. Freqüentemente, ponho os meus pacientes em profundo transe hipnótico e faço-os atravessar certa porta que eles próprios escolhem, uma porta que leva a uma vida passada.

"Imagine-se de pé em um belo corredor ou galeria, em cujos lados e extremos existem portas amplas e magníficas. São portas que levam ao seu passado e até mesmo às suas vidas passadas. Elas podem levá-lo a experiências espirituais. Quando eu fizer a contagem regressiva de cinco até um, uma dessas portas se abrirá, uma porta para o seu passado. Essa porta o atrairá. Vá até ela.

"Cinco, a porta está se abrindo. Essa porta o ajudará a compreender o que está bloqueando ou se opondo a alguma alegria ou felicidade em sua vida atual. Vá até essa porta.

"Quatro, você chegou à porta. Vê uma luz brilhante no outro lado. Atravesse a porta e mergulhe nessa luz.

"Três, atravesse a luz. Você está agora em outra época e em outro lugar.

"Não se preocupe com o que é imaginação, fantasia, memória real, símbolo, metáfora ou alguma combinação desses fatores. É a experiência que importa. Simplesmente sinta o que lhe vem à mente. Procure não pensar, julgar, ou criticar. Simplesmente permita-se sentir. O que lhe vier à consciência servirá. Você pode analisá-lo mais tarde.

"Dois, você está quase lá, quase atravessou a luz. Quando eu disser 'um', esteja lá e junte-se à pessoa ou à cena que há no outro lado da luz. Focalize tudo nitidamente quando a contagem chegar a um.

"Um! Esteja lá. Olhe para os pés e veja que tipo de calçado você está usando. Olhe as suas roupas, sua pele, suas mãos. São as mesmas ou são diferentes? Preste atenção aos detalhes".

A porta é apenas uma das muitas pontes que nos levam ao passado. Todas levam ao mesmo lugar, a uma vida passada ou a uma experiência espiritual que é importante para a situação da vida atual da pessoa. Elevadores que viajam de volta no tempo; uma estrada ou caminho ou mesmo uma ponte verdadeira que atravessa a névoa do tempo; que cruza um riacho ou um regato para chegar ao outro lado, a uma outra vida; uma máquina do tempo, na qual o paciente é que comanda o painel de controle. Estes são apenas alguns exemplos dos mil caminhos ou pontes que nos levam ao passado.

No caso de Pedro, usei portas. Quando ele tentou olhar para os pés, depois de sair da luz, viu-se fitando, em vez dos pés, a grande máscara de pedra de um deus.

– Nariz comprido e grandes dentes recurvos. A boca ... os lábios ... são estranhos, muitos grandes e largos. Os olhos são redondos, fundos e muito afastados um do outro. Tem um ar malévolo ... Os deuses podem ser cruéis.

– Como você sabe que se trata de um deus?

– Ele é muito poderoso.

– Existem muitos deuses ou ele é o único?

– Existem muitos, mas ele é um deus poderoso ... Controla a chuva. Sem a chuva, não poderíamos cultivar alimentos – explicou Pedro, com simplicidade.

– Você está lá? Pode ver-se a si mesmo? – insisti.

– Estou lá. Sou uma espécie de sacerdote. Sou versado nas coisas dos céus, do sol, da lua, das estrelas. Ajudo a compor calendários.

– Onde você exerce esse trabalho?

– Em um edifício de pedra, rodeado de escadas e dotado de pequenas janelas através das quais vemos e medimos as coisas. É muito complicado, mas sou competente. Eles confiam nas medidas que faço ... Sei quando ocorrerá um eclipse.

– Parece que você está em uma civilização muito científica – comentei.

– Certas coisas são científicas, como a astronomia e a arquitetura. O resto é superstição e atraso – explicou ele. – Existem outros sacerdotes e seus seguidores que só estão interessados no poder. Usam superstições e medos para iludir o povo e conservar o poder. Têm o apoio da nobreza que ajuda a controlar os guerreiros. É uma aliança para conservar o poder nas mãos de uns poucos.

A época e a cultura que Pedro estava revendo podem ter sido antigas, mas as técnicas de controle e as alianças políticas formadas para alcançar e preservar o poder eram as mesmas de todos os tempos. As ambições dos homens parecem não mudar nunca.

– Como usam superstições para iludir o povo?

– Atribuem aos deuses a culpa de eventos naturais. Depois, culpam o povo por encolerizar ou desagradar aos deuses ... de modo que o povo se torna responsável por eventos naturais, como enchentes, secas, terremotos ou erupções vulcânicas. Quando o povo não tem culpa alguma ... nem tampouco os deuses ... São eventos naturais, não provocados por deuses irados ... mas o povo não sabe disso ... permanece ignorante e temeroso, sentindo-se responsável por tais calamidades.

Pedro fez uma pequena pausa, depois continuou:

– É um erro atribuir aos deuses os nossos problemas, as nossas calamidades. Isso dá aos sacerdotes e nobres demasiado poder ... Nós sabemos mais do que o povo a respeito desses eventos naturais. Geralmente sabemos quando eles começarão e terminarão. Sabemos da existência de ciclos. Os eclipses são eventos naturais que podem ser calculados e previstos, não um ato de cólera ou de punição por parte dos deuses ... Mas é isso o que eles dizem ao povo.

Pedro falava rapidamente agora, palavras e conceitos fluindo sem que eu o forçasse.

– Os sacerdotes se dizem comunicadores dos deuses. Dizem ao povo que são os únicos intermediários, que sabem o que os deuses querem. Sei que isso não é verdade ... sou um dos sacerdotes.

Ficou em silêncio durante um momento, como que meditando. Depois continuou:

– Os sacerdotes inventaram um sistema cruel e complicado de sacrifícios para apaziguar os deuses. Até mesmo o sacrifício de pessoas. Não fazem isso freqüentemente, porque o povo fica muito atemorizado. Existem rituais de afogamento e rituais de matança ... Como se os deuses precisassem de sangue humano!

A voz de Pedro subia de tom à medida que a cólera crescia.

– Manipulam o povo com rituais de medo. Podem até escolher quem será sacrificado. Isso lhes dá um poder igual ao dos deuses. Escolhem quem deve viver e quem deve morrer.

– Você participa desses rituais de morte?

– Não – respondeu ele – não acredito nesses rituais. Eles me deixam ficar com as minhas observações e os meus cálculos. – E, em tom confidencial: – Nem mesmo creio que esses deuses existam.

– Não crê?

– Não. Os deuses não podem ser tão mesquinhos e insensatos quanto as pessoas. Quando observo o céu e a bela harmonia do sol e da lua, dos planetas e das estrelas ... não posso crer que essa inteligência, essa sabedoria seja ao mesmo tempo mesquinha e insensata. Isso não teria sentido. Atribuímos a esses chamados deuses as nossas próprias características. Medo, ira, ciúme, ódio são coisas nossas que projetamos nesses deuses. Creio que o deus verdadeiro fica muito além das emoções humanas. O verdadeiro deus não precisa de nossos rituais e sacrifícios.

Essa antiga encarnação de Pedro demonstrava grande sabedoria. Ele falava com facilidade, mesmo de assuntos proibidos, e não parecia cansado, de modo que decidi prosseguir o diálogo.

– Você chega a se tornar mais influente como sacerdote? – perguntei. – Adquire maior poder durante essa existência?

– Não, isso não acontece. Eu não governaria desse modo se tivesse poder. Educaria o povo. Deixaria que ele aprendesse por si mesmo. Poria fim aos sacrifícios.

– Mas os sacerdotes e nobres perderiam o poder que têm – objetei. – E se o povo se recusasse a escutá-lo?

– Não se recusaria. O verdadeiro poder vem do conhecimento. A verdadeira sabedoria consiste em aplicar esse conhecimento de forma carinhosa e benévola. As pessoas são ignorantes, mas isso pode mudar. Não são estúpidas.

O sacerdote estava me dando uma aula de política espiritual e eu sentia o quanto havia de verdade em suas palavras.

– Continue – pedi após outro período de silêncio.

– Não vejo nada mais. Saí daquele corpo e estou descansando.

Isso me surpreendeu. Eu não havia pedido que ele partisse. Não ocorrera uma cena de morte nem algum evento chocante ou traumático que pudesse tê-lo feito sair espontaneamente daquela existência. Lembrei-me de que ele ingressara naquela vida de forma inusitada, diante do enorme rosto do deus da chuva.

Talvez nada mais pudéssemos aprender com um exame mais detido daquela vida e a mente superior de Pedro sabia disso. Ele saiu dela.

Pedro teria sido um esplêndido governante.

⋆ ⋆ ⋆

Em novembro de 1992, Galileu foi absolvido pela Igreja da "maldita heresia" de que a Terra não era o centro do universo e girava em torno do sol. A investigação que inocentou Galileu começara em 1980 e durou doze anos e meio. O erro cometido pela Inquisição em 1633 foi finalmente corrigido trezentos e cinqüenta e nove anos depois. Infelizmente, a cegueira mental pode levar mais tempo para ser corrigida.

Cegueira mental é uma doença que parece afetar todas as instituições. Indivíduos que jamais questionam os seus pressupostos e sistemas de crença são também cegos mentais. Como assimilar novas observações e novos conhecimentos, quando se tem a mente obliterada por crenças e por velhas idéias que nunca foram testadas?

Há alguns anos, em estado de profundo transe, Catherine me disse: "Nossa tarefa é aprender, nós nos tornamos divinos através do conhecimento. Sabemos tão pouco ... Através do conhecimento, nos aproximamos de Deus e então podemos descansar. Depois voltamos para ensinar e ajudar outras pessoas".

Só as mentes abertas são capazes de receber conhecimento.

15

"Sei que sou imortal. Sem dúvida já morri antes mil vezes. Rio-me daquilo que chamam de dissolução, e conheço a amplitude do tempo".

Walt Whitman

Os sonhos têm muitas funções. Ajudam a processar e integrar os eventos do dia. Oferecem indícios, muitas vezes sob a forma de símbolos e metáforas, que ajudam a resolver os nossos problemas diários – relações, temores, trabalho, emoções, doenças e muitos mais. Podem ajudar-nos a realizar os nossos desejos e objetivos, senão fisicamente, pelo menos através da fantasia. Ajudam-nos a reexaminar eventos passados, lembrando-nos de paralelos no presente. Protegem o sono, disfarçando estímulos tais como as ansiedades que, de outra forma, nos despertariam.

Os sonhos exercem também outras funções mais profundas. Podem proporcionar os meios de recuperar lembranças reprimidas ou esquecidas, seja da tenra idade, da infância, da existência intra-uterina ou até mesmo de vidas passadas. Fragmentos de memória de vidas passadas costumam emergir no estado onírico, especialmente naqueles sonhos em que a pessoa vê cenas que datam de anos ou séculos antes do seu nascimento.

Os sonhos podem ser psíquicos ou premonitórios. Muitas vezes estes últimos são capazes de prever o futuro. A precisão varia porque o futuro parece ser um sistema de probabilidades e inevitabilidades, e porque a própria capacidade das pessoas de interpretar corretamente os sonhos varia enormemente. Muitas pessoas em todas as culturas e meios têm esses sonhos premonitórios. No entanto, muitas pessoas sentem-se chocadas quando os seus sonhos literalmente se realizam.

Outro tipo de sonho psíquico ocorre quando experimentamos a comunicação com uma pessoa distante. A pessoa pode estar viva e geograficamente distante, ou a comunicação pode ser com a alma ou a consciência de alguém que já morreu, como no caso de um parente ou amigo querido. Da mesma forma, pode haver comunicação com um espírito angelical, um mestre ou guia. As mensagens recebidas nesses sonhos costumam ser tocantes e de grande importância.

Ocorrem também sonhos nos quais a pessoa viaja. Durante esses sonhos, a pessoa visita lugares nos quais nunca esteve fisicamente. Detalhes do que viu podem ser confirmados mais tarde. Quando a pessoa realmente visita uma dessas localidades meses ou anos depois, uma sensação de *déjà vu* ou de familiaridade pode ocorrer.

Às vezes, em sonhos, o visitante percorre lugares que parecem não existir neste planeta. Muitas vezes, esses sonhos, mais do que imaginações noturnas, podem ser experiências místicas ou espirituais, às quais a pessoa tem acesso porque as costumeiras barreiras pessoais e cognitivas estão relaxadas durante o sono e o sonho. O conhecimento e o saber adquiridos durante este tipo de viagem onírica são capazes de transformar toda uma vida.

Naquele dia, quando a primeira luz da manhã rompeu a escuridão da noite, Elizabeth teve um desses sonhos.

Elizabeth chegou cedo para a consulta, ansiosa por me contar o sonho que tivera na noite anterior. Parecia menos ansiosa e mais relaxada do que antes. Seus companheiros de trabalho, disse ela, haviam comentado que ela parecia melhor, mais atenciosa e paciente, mais ainda do que a Elizabeth "antiga", anterior à morte da mãe.

– Aquele não foi um dos meus sonhos típicos – salientou. – Esse sonho era mais vivo e mais real. Ainda me lembro de todos os detalhes, apesar de geralmente esquecer a maioria dos meus sonhos muito depressa.

Eu vinha recomendando a Elizabeth que anotasse os seus sonhos assim que acordasse. Uma das maneiras de aguçar significativamente a memória é manter um diário de sonhos perto da cama e anotar o que a pessoa consegue lembrar dos seus sonhos. De outra forma, o conteúdo dos sonhos rapidamente se esvai. Elizabeth era um tanto preguiçosa para anotar os seus sonhos e, quando chegava ao meu consultório para a consulta, geralmente esquecera a maioria dos detalhes, se não o sonho inteiro.

Aquele sonho era diferente, tão vívido que os detalhes tinham ficado gravados em sua memória.

– De início, entrei em uma grande sala. Não havia janelas, nenhuma luz, nenhuma lâmpada no teto. Mas as paredes pareciam brilhar, emitindo um clarão suficiente para iluminar toda a sala.

– As paredes eram quentes? – perguntei.

– Acho que não. Emitiam luz, mas não calor. Não toquei as paredes.

– Que mais você notou na sala?

– Percebi que era uma espécie de biblioteca, mas não via prateleiras nem livros. Num canto da sala, havia uma estátua da Esfinge e duas cadeiras antigas de cada lado da estátua, cadeiras que datavam de uma época remota. Não eram modernas. Eram quase como tronos de madeira ou de mármore.

Ficou em silêncio algum tempo, o olhar desviando-se para cima e para a esquerda enquanto recordava as cadeiras antigas.

– Que fazia ali uma estátua da Esfinge? – perguntei.

– Não sei. Talvez a biblioteca ajudasse as pessoas a compreender coisas secretas. Lembrei-me do enigma da Esfinge. O que é que de manhã caminha sobre quatro patas, sobre duas durante o dia e três à noite? O homem. Uma criança que engatinha torna-se um adulto que envelhece, precisando de uma bengala para caminhar. Talvez tenha alguma coisa a ver com aquele enigma. Ou com os enigmas em geral.

– Pode ser – admiti, minha mente recuando para *Édipo* e para a primeira vez em que eu ouvira falar do enigma. – Mas também pode ter outros significados. Por exemplo, o que acontece se a Esfinge fornece algum indício da natureza da biblioteca ou de sua estrutura ou local?

A mente de quem sonha pode ser muito complexa.

– Não fiquei lá o tempo suficiente para descobrir – respondeu ela.

– Você percebeu alguma outra coisa na sala?

– Sim – disse ela imediatamente. – Havia um homem por perto, trajando uma longa túnica branca. Acho que era o bibliotecário. Era ele que decidia quem podia entrar na sala e quem não podia. Por algum motivo, deixaram-me entrar.

A essa altura, não pude mais me conter.

– Que tipo de biblioteca é essa que não tem livros? – exclamei.

– É essa a parte estranha do sonho – disse ela. – Bastava-me estender os braços, as palmas das mãos viradas para cima, e o livro que eu queria começava a formar-se em minhas mãos! Quase imediatamente o livro completo parecia sair da parede e solidificar-se em minhas mãos.

– Que tipo de livro você recebeu?

– Não me lembro exatamente. Um livro que falava de mim, de minhas vidas. Tive medo de abri-lo.

– Medo de quê?

– Não sei. Medo de que houvesse alguma coisa má lá dentro, algo que me envergonhasse.

– O bibliotecário a ajudou?

– Não exatamente. Apenas riu. Depois disse: "Por acaso a rosa tem medo de seus espinhos?" E continuou a rir.

– E o que houve depois?

– Ele me levou para fora, mas eu achei que, algum dia, compreenderia o que ele queria dizer e voltaria sem medo de ler aquele livro.

Ficou em silêncio, pensativa.

– Foi assim que o sonho terminou? – indaguei.

– Não. Depois de sair da biblioteca fui a uma sala de aula. Havia lá uns quinze ou vinte alunos. Um jovem me pareceu alguém que eu conhecia bem, como se ele fosse o meu irmão

... mas não era o meu irmão Charles – acrescentou, referindo-se ao seu irmão na vida atual, que estava na Califórnia.

– Que tipo de curso você estava fazendo?

– Não sei.

– Aconteceu mais alguma coisa?

– ... Sim – respondeu ela hesitantemente. – Um professor apareceu – continuou num tom de voz que era pouco mais que um murmúrio. – Tinha olhos castanhos muito intensos. Olhos que mudavam para um belo tom de púrpura, depois voltavam a ser castanhos. Era muito alto e trajava apenas uma túnica branca. Tinha os pés descalços ... Veio até onde eu estava e olhou fixamente em meus olhos.

– E então?

– Tive uma incrível sensação de amor. Sabia que tudo ia terminar bem, que tudo aquilo que estava me acontecendo era parte de algum plano, e que o plano era perfeito.

– Ele lhe disse isso?

– Não precisou dizer. Na verdade, ele não disse coisa alguma. Eu apenas sentia essas coisas, mas de alguma forma elas pareciam vir dele. Eu sentia tudo. Sabia de tudo. Sabia que nada havia a temer ... nunca ... e depois ele se foi.

– E que mais?

– Senti-me muito leve. A última coisa de que me lembro é de ter flutuado entre as nuvens. Sentia-me tão amada e tão segura ... E acordei.

– Como se sente agora?

– Muito bem, mas a sensação está passando. Lembro-me de todos os detalhes do sonho, mas a sensação vai ficando mais fraca. Vir para cá, de carro, no trânsito, não ajudou – acrescentou ela.

Mais uma vez, a vida do dia-a-dia interferia com experiências transcendentais.

☆ ☆ ☆

Uma mulher me escreveu, agradecendo-me por ter escrito o meu primeiro livro. As informações contidas no livro ajudaram-na a compreender e aceitar dois sonhos que tivera, sonhos separados por mais de vinte anos. A carta foi destruída quando o furacão Andrew atingiu o meu consultório, mas lembro-me de suas palavras.

Desde criança ela sabia que iria ter um filho especial chamado David. Cresceu, casou-se e teve duas filhas, mas nenhum filho. Chegou aos trinta e poucos anos e foi ficando cada vez mais preocupada. Onde estava David?

Em um sonho vívido, um anjo veio ter com ela:

– Você pode ter o seu filho, mas ele só pode ficar ao seu lado durante dezenove anos e meio. Você aceita isso?

A mulher concordou.

Alguns meses depois, ela engravidou e o filho David nasceu. Era realmente uma criança especial, bondosa, sensível e carinhosa. "Uma velha alma", ela diria.

Não contou a David o sonho que tivera nem o acordo que fizera com o anjo. Aconteceu que David morreu aos dezenove anos e meio, de um tipo raro de câncer do cérebro. Ela se sentiu culpada, angustiada, infeliz. Por que havia aceitado a oferta do anjo? Talvez fosse a responsável pela morte de David.

Em um sonho vívido, um mês após a morte de David, o anjo reapareceu. Dessa vez David estava com o anjo, e foi David que lhe disse:

– Não chore tanto. Eu te amo. Eu te escolhi. Não foi você que me escolheu.

E ela compreendeu

16

"Outro forte indício de que os homens sabem a maioria das coisas antes do nascimento é que, quando crianças, aprendem fatos com enorme rapidez, o que demonstra que não os estão aprendendo pela primeira vez, e sim relembrando-os..."

Cícero

Durante alguns instantes, senti-me confuso. Em sua mente, Pedro atravessara uma porta para outro tempo e outro lugar. Pelos movimentos dos seus olhos, eu sabia que ele estava observando alguma coisa.

– Você poderá falar – disse eu, – e ainda assim permanecer em transe profundo e continuar a observar e sentir. O que está vendo agora?

– Vejo a mim mesmo – respondeu. – Estou deitado em um campo, à noite. O ar é fresco e o céu está claro ... Vejo muitas estrelas.

– Está sozinho?

– Estou. Não há ninguém por perto.

– Que aparência você tem? – indaguei, procurando detalhes que me ajudassem a determinar a época e o lugar em que ele emergira.

– Eu sou eu mesmo. Tenho cerca de doze anos. Uso cabelos curtos. Estou de volta ao México, quando menino.

Procurei saber mais acerca de suas sensações. Queria descobrir o motivo pelo qual a sua mente escolhera aquela lembrança em particular, dentre o vasto panorama de que dispunha.

– Como se sente?

– Muito feliz. Há algo de muito tranqüilo no céu noturno. As estrelas sempre me pareceram velhas conhecidas e amigas ... Gosto de distinguir as constelações e observar o rumo que elas tomam no céu à medida que as estações mudam.

– Você estuda as estrelas na escola?

– Não exatamente, só um pouco. Mas leio sobre elas por conta própria. Gosto mais de observá-las.

– Alguém mais na sua família gosta de observar as estrelas?

– Não – respondeu ele. – Somente eu.

Mudei sutilmente o conteúdo das perguntas para dirigir-me à sua inteligência superior, à sua perspectiva expandida, para saber mais a respeito da importância daquela recordação. Já não estava falando com um menino de doze anos chamado Pedro.

– Qual a importância dessa lembrança do céu noturno? – perguntei.

Ele ficou em silêncio durante algum tempo. O rosto pareceu mais tranqüilo na luz tênue da tarde.

– As estrelas são uma dádiva para mim – disse ele em voz baixa. – Consolam-me. São uma sinfonia que já ouvi antes.

Refrescam-me a alma, lembrando-me de coisas que eu já havia esquecido ... E mais – continuou, um tanto enigmaticamente – são um caminho a guiar-me para o meu destino ... aos poucos mas firmemente. Devo ser paciente e não interferir. O programa já está traçado.

Voltou a ficar em silêncio. Deixei-o repousar, enquanto um pensamento me vinha à mente. O céu noturno existe há mais tempo que a humanidade. De certo modo, todos ouvimos aquela antiga sinfonia. Será que ela guiava também todos os nossos destinos? E, em seguida, outro pensamento, muito claro em suas palavras, mas nada claro em seu significado: eu também devia ser paciente e não interferir no destino de Pedro.

Esse pensamento me veio como uma instrução. Mais tarde, eu veria que se tratava de uma profecia.

☆ ☆ ☆

À medida que Elizabeth e Pedro me faziam questionar muitas de minhas velhas crenças acerca da vida, da morte e até mesmo da psicoterapia, eu também começara a meditar, ou pelo menos a refletir, diariamente. Quando profundamente relaxado, pensamentos, imagens e idéias costumavam me ocorrer subitamente.

Certo dia, um pensamento me veio com a urgência de uma mensagem. Eu deveria examinar cuidadosamente os pacientes que haviam feito terapia comigo durante longos períodos, meus pacientes crônicos. De certa forma, eu os veria com mais clareza, e essa clareza de visão também me ensinaria mais a respeito de mim mesmo.

Os pacientes que me procuravam para fazer terapia de

regressão, técnicas de visualização e aconselhamento espiritual estavam indo extremamente bem.

Mas o que dizer daquela outra população de pacientes que haviam feito terapia comigo antes da publicação dos meus livros? Por que haveria eu de vê-los com maior clareza agora? O que poderia aprender a respeito de mim mesmo?

Verifiquei que tinha muito a aprender. Eu deixara de ser um professor para muitos desses antigos pacientes; de fato, tornara-me um hábito e uma muleta. Muitos ficaram dependentes de mim e, em vez de incitá-los a ser independentes, eu aceitara o antigo papel.

Eu também me tornara dependente deles. Eles pagavam as contas, lisonjeavam-me, faziam-me sentir indispensável e reforçavam o estereótipo de médico e semideus que há em nossa sociedade. Eu precisava encarar o meu orgulho.

Um a um, enfrentei os meus temores. A segurança era o primeiro deles. O dinheiro não é bom nem mau e, embora seja importante em certas ocasiões, não confere verdadeira segurança. Eu precisava ter mais fé. A fim de enfrentar riscos, de comprometer-me a assumir um comportamento correto, precisava saber que me sairia bem. Examinei os meus valores, o que era importante em minha vida e o que não era. Ao recordar e reajustar a minha fé e os meus valores, as minhas preocupações com dinheiro e segurança desapareceram, como um nevoeiro que se desfaz sob o sol. Senti-me muito seguro.

Examinei a necessidade de me sentir indispensável e importante. Tratava-se de mais uma ilusão do ego. Lembrei-me de que todos somos seres espirituais. Todos somos iguais por baixo de nossa aparência exterior. Todos somos importantes.

Minha necessidade de ser especial, de ser amado só poderia ser satisfeita em um nível espiritual, a partir do fundo de mim mesmo, da divindade interna. A minha família podia ajudar, mas só até certo ponto. Certamente não os meus pacientes. Eu podia ensiná-los e eles podiam ensinar-me. Podíamos ajudar-nos mutuamente, mas nunca poderíamos satisfazer nossas necessidades *mais profundas*. Esta é uma tarefa espiritual.

Os médicos são professores e curandeiros altamente treinados, mas não chegam a ser semideuses. Somos apenas pessoas altamente treinadas. Os médicos são raios da mesma roda da qual fazem parte todos os outros auxiliares em nossa sociedade.

As pessoas costumam esconder-se por trás do rótulo e da fachada profissional (doutor, advogado, senador, etc), muitos dos quais não estavam nem construídos antes dos nossos vinte ou trinta anos de idade. Precisamos nos lembrar de quem éramos antes que esses títulos nos fossem conferidos.

Não é apenas que todos sejamos capazes de *nos tornar* pessoas solícitas e espirituais, pessoas caridosas, bondosas e pacíficas, cheias de serenidade e alegria. Nós já *somos* pessoas espirituais. Apenas esquecemos e o nosso ego nos impede de lembrar-nos.

A nossa visão é turva. Os nossos valores foram invertidos.

Em conversa comigo, muitos psiquiatras dizem sentir-se escravizados por seus pacientes. Perderam o prazer de ajudar. Faço-os lembrar que eles também são seres espirituais. Acontece que se sentem escravos de suas inseguranças e do próprio ego. Precisam ter a coragem de assumir riscos e dar o pulo para a saúde e a alegria.

17

"Pois viemos para cá por vias diferentes. Não tenho a impressão de nos havermos encontrado antes. Não houve um déja vu. *Não creio que fosses tu à beira mar, no ano 1206 d.C., quando passei a cavalo, ou que estivesses ao meu lado nas guerras de fronteira. Ou lá, na Galícia, há cem anos, deitada ao meu lado na relva verde-prata, vendo lá de cima alguma aldeia das montanhas. Sei pelo modo natural com que vestes boas roupas e a tua boca se move quando falas aos garçons nos bons restaurantes, que vieste de algum lugar onde há castelos e catedrais, lugares de elegância e de império".*

Robert James Waller

Quando terminei de fazer a contagem regressiva de dez para um, Elizabeth já estava em profundo transe hipnótico. Os olhos mexiam-se sob as pálpebras, o corpo havia relaxado e a respiração baixara para um ritmo muito tranqüilo. A mente estava agora pronta para viajar no tempo.

Levei-a de volta lentamente, dessa vez usando um belo

regato nas montanhas como portão para o passado distante. Ela atravessou o regato e penetrou em uma luz brilhante. Caminhando dentro dessa luz, emergiu em outra época e outro lugar, onde vivera em tempos idos.

– Estou usando sandálias finas – disse, depois que sugeri que observasse os pés. – Há uma presilha um pouco acima dos tornozelos. Uso uma longa túnica branca e, por cima dela, uma cobertura semelhante a um véu, que me desce até os pés. As mangas são largas e terminam nos cotovelos. Estou usando braceletes dourados em três diferentes alturas dos braços.

Observava-se atenta e detalhadamente.

– Os meus cabelos são escuros, castanhos e muito longos, caindo abaixo dos ombros ... Os olhos são também castanhos ... A minha pele é de um moreno claro – acrescentou.

– Você é uma menina – supus. – Que idade tem, aproximadamente?

– Cerca de quatorze anos.

– O que faz? Onde mora?

– Nos terrenos do templo – respondeu. – Estou sendo treinada para ser médica e dar assistência aos sacerdotes.

– Sabe o nome da terra onde está? – indaguei.

– Egito ... há muito tempo atrás.

– Sabe o ano?

– Não. Não vejo isso ... mas é uma data muito remota ... muito antiga.

Voltei às suas recordações e experiências desse tempo.

– Como lhe sucedeu ser treinada para exercer a profissão médica e prestar assistência aos sacerdotes?

– Fui escolhida pelos sacerdotes, como as outras também o foram. Somos todas escolhidas de acordo com os nossos talentos e capacidades ... Os sacerdotes sabem desses talentos desde que somos muito pequenas.

Quis saber mais acerca desse processo de seleção.

– Como ficam conhecendo os seus talentos? Observam-na na escola ou quando está com os pais?

– Oh, não – disse ela. – Sabem intuitivamente. São muito argutos. Sabem quem tem o dom de lidar com números e portanto pode vir a ser um engenheiro, contador ou tesoureiro. Sabem quem aprendeu a escrever. Sabem quem tem potencial militar e deve ser treinado para dirigir um exército. Sabem quem poderá ser o melhor administrador, quem deverá ser treinado para governar e comandar. Sabem quem possui capacidades intuitivas e de cura, e deve ser treinado para a profissão de médico, conselheiro ou sacerdote.

– Os sacerdotes decidem que ocupação a pessoa deve exercer?

– Exato – concordou ela. – Talentos e potenciais são adivinhados pelos sacerdotes quando a criança é ainda muito pequena. O treinamento é então predeterminado ... Não se tem escolha.

– Esse treinamento é aberto a qualquer pessoa?

– Não, somente aos que pertencem à nobreza, aos parentes do faraó.

– Você então é parente do faraó?

– Prima ... não muito próxima. A família dele é muito grande. Até mesmo primos distantes são considerados parte da família.

– E o que acontece às pessoas de muito talento que não têm esse parentesco? – perguntei, curioso de saber mais sobre aquele método de seleção familiar.

– Esses conseguem algum treinamento, mas só podem ir até certo ponto ... Tornam-se assistentes das autoridades, que são parentes da família real.

Decidi passar adiante:

– Algum membro de sua família mora com você?

– Sim, o meu irmão. Somos muito apegados um ao outro. Ele é dois anos mais velho que eu, e também foi escolhido para ser treinado como médico e sacerdote. Estamos juntos aqui. Nossos pais moram um pouco longe, de modo que é muito bom ter o meu irmão comigo ... Estou vendo-o agora.

No desejo de encontrar indícios que me fizessem compreender as relações de Elizabeth, arrisquei-me a perturbar suas recordações.

– Olhe bem no rosto dele. Olhe em seus olhos. Vê nele algum conhecido seu na vida atual?

Durante um instante, ela pareceu perscrutar o rosto do irmão.

– Não – disse com tristeza. – Não o reconheço.

Eu esperava que ela reconhecesse a mãe, ou talvez o pai ou o irmão. Mas não houve qualquer reconhecimento.

– Passe adiante no tempo e vá para o próximo evento importante da vida dessa menina egípcia. Procure lembrar-se.

Ela aquiesceu.

– Agora tenho dezoito anos. Meu irmão e eu estamos bem mais avançados em nosso treinamento. Ele usa um saiote branco e dourado que vem até um pouco acima dos joelhos ... É muito simpático.

– Mais avançados, como? – perguntei, fazendo-a voltar a falar sobre o treinamento.

– Adquirimos novas habilidades. Estamos trabalhando

com uns bastões especiais de tratamento, capazes de acelerar a regeneração de tecidos e membros.

Fez uma pausa, enquanto examinava os seus instrumentos.

– Há uma energia líquida que flui dentro deles ... A energia se concentra no ponto que se deseja regenerar ... Pode-se usá-los para desenvolver músculos e regenerar tecidos, mesmo tecidos mortos ou que estejam morrendo.

Isso me surpreendeu. Nem mesmo a medicina moderna é capaz de fazer tais coisas, embora haja animais, como as salamandras e outras espécies de lagartos, que voltam a desenvolver um membro ou a cauda que perderam. Somente agora, cerca de quatro a cinco mil anos depois do trabalho de Elizabeth, as pesquisas mais recentes na área de traumas da espinha dorsal estão chegando ao começo da regeneração de tecidos nervosos.

Ela não soube explicar como os bastões funcionavam, a não ser afirmar que utilizavam energia. Faltavam-lhe as palavras e os conceitos mentais necessários.

– Estou repetindo o que me dizem. Sou uma menina, ainda muito jovem. Já toquei nesses bastões, mas nunca os vi funcionando. Ainda não vi a regeneração ... Meu irmão, sim. Ele tem permissão para isso e, quando for mais velho, terá direito ao conhecimento da regeneração. O meu treinamento terminará antes de chegar a esse nível. Não posso atingi-lo por ser mulher.

– Ele pode receber o conhecimento da regeneração, e você não?

– Sim. Ele pode ter acesso a segredos superiores, mas eu não.

Fez uma pausa e acrescentou:

– Isso não me faz ter ciúmes dele. Trata-se de um costume ... um costume insensato, sem dúvida, pois eu sou mais capaz de curar do que muitos homens ... – E baixando o tom de voz: – Seja como for, ele me contará os segredos ... prometeu-me que fará isso. Ensinará como os bastões funcionam. Já me explicou muitas coisas ... Disse-me que estão tentando ressuscitar pessoas que morreram há pouco tempo!

– Ressuscitar mortos?

– Sim, mas é algo que tem de ser feito muito rapidamente.

– Como conseguem?

– Não sei ... Eles usam vários bastões. E entoam certos cânticos especiais. O corpo tem de estar em determinada posição. E há outras coisas que não sei ... O meu irmão vai aprender, e depois me dirá.

Terminou aí a explicação dela.

Pressupus que as pessoas a que ela se referia não estavam realmente mortas, e sim provavelmente à beira da morte. Afinal, naquele tempo não existia equipamento para detectar a função de ondas cerebrais. Não era possível determinar a ausência de atividade cerebral, que é como hoje definimos a morte.

O meu lado intuitivo, porém, dizia-me que mantivesse a mente aberta. Podia ser que houvesse outras explicações, explicações além de minha compreensão atual.

Elizabeth ficara calada, e voltei a interrogá-la.

– Você faz também outros tipos de cura?

– Vários tipos – respondeu ela. – Um deles é com as mãos. Tocamos a área do corpo a ser curada e enviamos energia diretamente para lá ... através de nossas mãos. Algumas pessoas nem precisam tocar o corpo. Usam as mãos no ar, acima do corpo do paciente, para detectar áreas de calor. Dispersamos o calor e regularizamos a energia. O calor deve ser dissipado em vários níveis acima do corpo, não só na própria superfície do corpo. Outros são capazes de curar mentalmente. Identificam as áreas que apresentam problemas, e enviam energia mental para esses locais. Eu ainda não sou capaz de fazer isso – acrescentou – mas um dia aprenderei.

E prosseguiu:

– Há os que tocam o pulso do doente, com o segundo e o terceiro dedo juntos, e enviam energia diretamente para o fluxo sanguíneo. Podem assim atingir os órgãos internos e até ver a energia curadora saindo da ponta dos pés da pessoa. Atualmente, o meu trabalho é colocar doentes em níveis muito profundos de transe e fazer com que vejam a cura à medida que ela ocorre, para que completem mentalmente a transformação. Nós lhes damos poções para ajudá-los a ir bem fundo no transe.

Com exceção das poções, essa última técnica muito se assemelhava às visualizações hipnóticas que eu e outros médicos usamos hoje, em fins do século XX, para estimular o processo de cura.

– Existem outros métodos? – perguntei.

– Certos métodos incluem a invocação dos deuses, mas são reservados aos sacerdotes – respondeu ela. – Esses me são proibidos.

– Proibidos?

– Sim, pois as mulheres não podem se tornar sacerdotes. Podemos ser médicas e ajudar os sacerdotes, mas não exercer as funções que eles exercem ... É verdade que certas mulheres se dizem sacerdotisas e tocam instrumentos musicais durante as cerimônias, mas não têm poder algum. São tocadoras de música, como eu sou médica, mas não chegam a ser sacerdotisas – acrescentou, com uma ponta de sarcasmo na voz. – Até mesmo Hathor zomba delas.

Hathor era a deusa egípcia do amor, do prazer e da alegria. Era também a deusa da festividade e da dança. Elizabeth provavelmente se referia a uma das funções mais esotéricas de Hathor, defensora e protetora das mulheres. O fato de Hathor zombar das sacerdotisas acentuava o vazio da grandiosidade de seus títulos.

Elizabeth ficou novamente em silêncio e, enquanto isso, eu fazia comparações mentais com os tempos de hoje.

A estrada do progresso no Egito antigo era reservada a alguns poucos. Os parentes do faraó, que era considerado um semideus, podiam progredir, mas as mulheres, ainda que parentes, logo esbarravam no obstáculo do sexo. Os parentes masculinos do faraó eram os privilegiados.

Fiz com que Elizabeth voltasse a falar:

– Avance no tempo até o próximo evento importante de sua vida. O que vê?

– Agora, o meu irmão e eu somos conselheiros – comentou, depois de avançar mais alguns anos no futuro. – Trabalhamos ao lado do governador desta região, como assessores. Ele é um ótimo administrador, além de bom chefe militar. Mas é impulsivo e precisa de nossa intuição e orientação ... Nós o ajudamos a manter o equilíbrio.

– Esse trabalho a satisfaz?

– Sim, é bom estar com o meu irmão. E o governador geralmente é bondoso. Costuma ouvir nossos conselhos ... Operamos também as nossas curas.

Ela parecia contente, embora não extremamente feliz.

Não se casara, de modo que o irmão era toda a sua família. Fiz com que ela avançasse no tempo.

Agora estava visivelmente contrariada. Começou a chorar, depois parou.

– Sou instruída demais para isto. Preciso ser forte. Não que eu tema o exílio ou a morte. Não temo. Mas, separar-me do meu irmão ... isso é demais!

Outra lágrima escorreu-lhe dos olhos.

– O que lhe aconteceu? – perguntei, um tanto surpreso por esse súbito declínio.

– O filho do governador adoeceu gravemente e morreu antes que algo pudesse ser feito. O governador sabia de nosso trabalho com a regeneração de tecidos e de nossas tentativas de ressuscitar pessoas recém-falecidas. De modo que exigiu que eu lhe ressuscitasse o filho. Se eu não o fizesse, seria condenada ao exílio permanente. Sei para onde eles mandam os exilados. Ninguém volta.

– E o filho? – indaguei, hesitantemente.

– Ele não podia ser ressuscitado. Não era permitido. E eu fui punida. – Estava novamente triste, os olhos cheios de lágrimas. – Não faz sentido. Não cheguei a aprender como usar os bastões ... Não permitiram que eu adquirisse o conhecimento da regeneração e da ressurreição. O meu irmão ensinou-me um pouco, mas não o bastante ... E ninguém sabia que ele tinha me ensinado alguma coisa.

– O que aconteceu ao seu irmão?

– Ele estava ausente, de modo que foi poupado. Todos os sacerdotes estavam ausentes. Só eu estava aqui ... Ele voltou a tempo de me ver antes que eu partisse para o exílio. Não receio o exílio nem a morte, somente o fato de separar-me dele ... Não há nada que eu possa fazer.

– Quanto tempo você permanece no exílio?

– Não muito tempo – respondeu ela. – Sei como sair do meu corpo. Certo dia, saí do meu corpo e não voltei. Aquilo foi a minha morte, pois sem a alma o corpo morre.

Ela chegara àquele ponto e falava de uma perspectiva superior.

– Foi assim tão simples?

– Não há dor, nenhuma interrupção da percepção quando se escolhe esse tipo de morte. É por isso que não temo a morte. Eu sabia que jamais iria ver o meu irmão novamente. E não podia executar o meu trabalho naquela ilha deserta. Não havia motivo para permanecer no estado físico. Os deuses compreendem.

Calou-se, repousando. Eu sabia que o seu amor pelo irmão iria sobreviver à morte física, como também sobreviveria o amor do irmão por ela. O amor é eterno. Teriam eles se reencontrado nos séculos que se passaram? Iriam encontrar-se novamente no futuro?

Sabia também que aquela lembrança a ajudaria a atenuar a sua dor. Mais uma vez ela se encontrara no passado remoto. A consciência, a alma daquela jovem havia sobrevivido à morte e à passagem dos séculos para surgir novamente, desta vez como Elizabeth. E se ela podia sobreviver ao tempo, a mãe também podia. Todos podíamos. Ela não havia encontrado a mãe no antigo Egito, mas encontrara um irmão querido, uma alma gêmea a quem não reconhecia na vida presente. Pelo menos, ainda não.

⋆ ⋆ ⋆

Gosto de imaginar que a relação entre almas é algo semelhante a uma grande árvore frondosa. As folhas que ocupam o ramo em que estamos nos são íntimas. Podemos até trocar experiências, experiências espirituais, umas com as outras. Temos também relações intensas e íntimas com as que ocupam o ramo vizinho ao nosso. Pertencemos à mesma árvore e ao mesmo tronco. Nós nos conhecemos.

Existem muitas outras árvores nesta bela floresta, todas ligadas entre si através do sistema de raízes do solo. Ainda que possa haver uma folha em uma árvore distante que pareça bem diferente de nós e muito remota, somos ligados a essa folha, ligados a todas as folhas.

Você provavelmente conheceu outras almas em pontos mais distantes da árvore a que pertencia em vidas anteriores. Essas almas podem ter mantido muitas relações diferentes com você. Essas interrelações podem ter sido extremamente breves. Mas até mesmo um encontro de trinta minutos pode tê-lo ajudado a aprender uma lição, ou ter ajudado a elas, ou a ambos, como costuma acontecer. Uma dessas almas pode ter sido o mendigo na estrada, de quem você se apiedou, permitindo-se estender sua compaixão a um outro ser humano, e permitindo a essa alma aprender que é possível receber amor e ajuda. Você e o mendigo podem nunca mais ter-se encontrado naquela existência, e no entanto você e ele fazem parte do mesmo drama. A duração dessas reuniões varia – cinco minutos, uma hora, um dia, um mês, uma década ou mais. As relações entre almas não são medidas em termos de tempo, e sim em termos de lições aprendidas.

Quando Tipper Gore segurou e banhou uma criança de Ruanda doente de cólera, talvez o seu ato fosse um encontro de almas ligadas no passado, porque, em um breve encontro, essa criança pode ter ajudado a mudar a vida da Sra. Gore. Certamente foi um encontro que ela jamais esquecerá.

18

"Como teria sido interessante escrever a história das experiências que, nesta vida, tem um homem que se matou em uma vida anterior – como ele agora se defronta com as mesmas exigências que lhe eram feitas antes, até compreender que deve atender a essas exigências ... Os atos da vida anterior imprimem direção à vida presente".

Tolstoi

Ele sentiu a mensagem ser gravada em sua alma como um ferro em brasa. As palavras vivas ficaram marcadas para sempre em seu ser. Enquanto repousava, depois de sair do seu corpo esfacelado, ambos refletíamos sobre os diferentes níveis de significado daquelas palavras aparentemente simples.

A sessão havia começado da forma costumeira. Fiz Pedro regredir usando um sistema de indução rápida, e ele logo caiu em um estado de profunda tranqüilidade. A respiração tornou-se profunda e regular e os músculos relaxaram-se por completo. A mente, cujo foco a hipnose aguçara, atravessou os limites costumeiros do tempo e do espaço, e ele recordou eventos ocorridos muito antes que ele nascesse como Pedro.

– Estou usando sapatos marrons – observou ao emergir nos limites físicos de uma encarnação anterior. – São velhos e surrados ... – E acrescentou sem que eu lhe perguntasse: – Sou um homem de quarenta e poucos anos. Calvo no topo da cabeça, os cabelos já meio grisalhos. As costeletas e a barba estão grisalhas. A minha barba é curta, raspada quase até o queixo.

Prestava considerável atenção a pequenos detalhes. Eu gostava da precisão com que ele se descrevia mas, ao mesmo tempo, sabia que o tempo ia passando.

– Vá em frente – aconselhei. – Descubra o que você faz nessa vida. Vá até o próximo evento importante.

– Os meus óculos são pequenos, a armação muito fina – observou ele, ainda ocupado com o aspecto físico. – O meu nariz é achatado, a minha pele muito pálida.

Não é raro acontecer que o paciente hipnotizado relute em aceitar as sugestões que lhe faço. Aprendi que não se pode sempre guiar o paciente; às vezes o paciente quer guiar o médico.

– O que você faz nessa vida? – perguntei.

– Sou médico – respondeu ele prontamente. – Médico do interior. Trabalho muito. As pessoas são quase todas pobres, mas vou vivendo. Em geral são pessoas boas.

– Sabe o nome do lugar onde mora?

– Creio que é neste país, em Ohio ...

– Sabe em que ano está?

– ... em fins da década de 1880, creio eu.

– E o seu nome?

– Thomas ... meu nome é Thomas.

– Não tem um sobrenome?

– Começa com um D ... Dixon ou Diggins ou coisa parecida. ... – E acrescentou: – Não estou bem.

– O que há?

– Sinto-me triste ... muito triste. Não quero continuar a viver. Ele avançara chegando a um tempo de crise.

– O que o entristece tanto? – perguntei.

– Já me senti infeliz antes – esclareceu ele. – É algo que vem e volta, mas desta vez é pior. Juntas, as duas coisas ultrapassam os meus limites ... Não posso continuar a viver assim.

– Que duas coisas são essas?

– O meu paciente morreu. A febre o matou. Eles esperavam que eu o salvasse. Confiavam em mim, e eu não pude salvá-lo. Desapontei-os ... Agora a família está sem pai, a mulher sem o marido. Vão ter que lutar para sobreviver ... Não me foi possível salvá-lo!

– Às vezes os pacientes morrem apesar de nossos esforços. Não é uma situação incomum, especialmente no século XIX.

Paradoxalmente, eu estava tentando combater o seu sentimento de culpa em relação a um evento que ocorrera há mais de um século. Não podia mudar o que acontecera, mas podia mudar sua atitude. Sabia que Thomas agira de acordo com seus sentimentos. O que acontecera estava feito. Mas ainda assim podia ajudar Pedro a compreender, ajudá-lo a ver as coisas de um ponto de vista mais elevado e mais desprendido.

Ele permaneceu calado. Eu esperava não tê-lo arrancado de sua existência de médico, submetendo-o a uma terapia destinada a um nível de compreensão fora do seu alcance. Nem mesmo sabia qual fora o outro evento que precipitara a sua decisão.

– Qual é o outro motivo de sua tristeza?

– A minha mulher me abandonou – respondeu ele.

Eu me sentia aliviado por estar falando novamente com Thomas.

– Ela o deixou? – repeti, estimulando-o a entrar em detalhes.

– Sim – respondeu, em voz triste. – A nossa vida era muito difícil. Nem ao menos podíamos ter filhos. Ela voltou para a família, em Boston ... Senti-me envergonhado ... Não podia ajudá-la. Não podia torná-la feliz.

Não tentei qualquer tipo de terapia com Thomas naquele momento. Em vez disso, pedi que passasse adiante no tempo para o próximo evento mais importante de sua vida. Podíamos fazer terapia mais tarde, quando ele reexaminasse essa vida ainda sob o efeito da hipnose ou mesmo depois, quando saísse da hipnose.

– Tenho um revólver – explicou. – Vou matar-me e acabar com este sofrimento!

Contive o desejo de perguntar por que ele havia escolhido uma arma de fogo e não um dos muitos medicamentos ou venenos ao alcance de um médico daquela época. Ele tomara a sua decisão há pelo menos um século. A própria pergunta era provavelmente o meu modo de intelectualizar o seu desespero, desespero tão grande que o levara à autodestruição. Preferi perguntar:

– E o que acontece depois?

– Morri – respondeu ele simplesmente. – Dei um tiro

na boca e agora vejo o meu cadáver ... Quanto sangue! Quanto sangue!

Ele já deixara o corpo e olhava-o a distância.

– Como se sente agora? – indaguei.

– Confuso ... Ainda estou triste ... Estou cansado, mas não posso repousar. Ainda não ... Há alguém aqui que veio me ver.

– Quem está aí?

– Não sei. É alguém muito importante. Tem algo a me dizer.

– O que ele lhe diz?

– Que vivi uma vida virtuosa até o fim. Eu não devia ter posto fim à minha vida. No entanto, parece que ele sabia que eu iria fazer o que fiz.

– E o que mais? – indaguei, deixando de lado aquele paradoxo.

Foi então que a resposta me foi dada diretamente, em uma voz mais forte. Era Thomas ou Pedro quem falava, ou alguma outra pessoa? Pensei imediatamente nos Mestres que falavam através de Catherine. A diferença é que isso estava acontecendo anos depois e Catherine não estava mais comigo.

– O importante é o ato de dirigir-se a uma pessoa com amor, para ajudá-la, e não os resultados. Comunique-se com amor. Basta que os homens façam isso. Que se amem mutuamente. Os resultados dessa abordagem amorosa não são os resultados que você está procurando, resultados para o corpo físico. É preciso curar o coração dos homens.

A mensagem era dirigida a ambos os médicos, Thomas e eu, e ambos escutamos com enlevo enquanto a mensagem continuava. A voz era mais forte, mais segura, mais didática que a de Pedro.

– Eu lhes ensinarei a curar os corações dos homens. Vocês compreenderão. Amem-se uns aos outros!

Ambos sentimos a força destas palavras que se gravavam em nosso ser. As palavras eram vivas. Jamais iríamos esquecê-las.

Mais tarde, Pedro me disse que vira e escutara vividamente tudo o que aquele visitante luminoso comunicara. Palavras que dançavam na luz ao cruzar o espaço entre eles.

Eu escutara as mesmas palavras. Tinha a certeza de que elas também se destinavam a mim. Aprendi com elas lições importantes. Devia abordar os outros com amor e compaixão e não preocupar-me tanto com os resultados. Não tentar pôr termo à vida antes do tempo natural. Uma sabedoria superior cuida dos resultados e sabe quando cada um deles deve acontecer. O livre arbítrio e o destino coexistem. Não devemos medir a cura pelos resultados físicos. A cura ocorre em muitos níveis, e a verdadeira cura deve ocorrer no coração. De alguma forma eu aprenderia como curar o coração dos homens. Antes de mais nada, devíamos amar-nos uns aos outros – sabedoria eterna, que muitos compreendiam facilmente mas poucos praticavam.

Os meus pensamentos voltaram-se mais uma vez para Pedro. Suas vidas passadas eram pontilhadas de separações e perdas. Daquela vez, estas o levaram ao suicídio. Ele fora advertido contra a idéia de pôr fim a uma vida prematuramente. Mas as perdas continuavam a ocorrer e o enorme pesar voltara. Ele se lembraria, ou sucumbiria mais uma vez ao desespero?

☆ ☆ ☆

Como é horrível ser um médico que não pode curar o seu paciente! O fracasso de Elizabeth no Egito antigo. O desespero de Pedro na pessoa de Thomas, médico de Ohio. A minha própria experiência dolorosa como médico.

A minha primeira frustração como médico que não conseguiu deter o avanço de uma doença fatal ocorreu há mais de vinte e cinco anos, durante o meu primeiro estágio clínico, quando fazia o terceiro ano na Faculdade de Medicina de Yale. O estágio começara na Pediatria, e me haviam designado para cuidar de Danny, um menino de sete anos portador de um grande tumor de Wilms. Trata-se de um tumor maligno dos rins que ocorre quase exclusivamente em crianças. Quanto mais jovem a criança, melhor o prognóstico. Um menino de sete anos não era considerado jovem para aquele tipo de câncer.

Danny foi o primeiro verdadeiro paciente de minha carreira médica. Até então, toda a minha experiência ocorrera em salas de aula, em palestras de auditório, em laboratórios e infindáveis horas de estudo, sentado diante de livros. No terceiro ano, começava a nossa experiência clínica. Éramos designados para trabalhar em enfermarias de hospital, com pacientes verdadeiros. Não mais com fatos e teorias. Chegara a hora da aplicação prática.

Tive de colher sangue de Danny para exames de laboratório, e cuidei de todos os pequenos detalhes que os estudantes mais avançados chamavam de "trabalho sujo", mas que eram tão importantes para nós, alunos do terceiro ano.

Danny era uma criança maravilhosa, e o laço que nos unia era ainda mais forte e especial devido ao fato de ele ser o meu primeiro paciente.

Danny lutou heroicamente. Havia perdido os cabelos em virtude do tratamento de quimioterapia, eficiente mas tóxico. Tinha o ventre gravemente inchado. No entanto, mostrava-se ativo e os pais dele e eu alimentávamos esperanças. Uma boa porcentagem de crianças conseguia curar-se desse tumor maligno naquela época.

Eu era o membro mais jovem da equipe de tratamento. O estudante de medicina geralmente sabia menos a respeito de medicina clínica do que os médicos internos, residentes ou encarregados, que viviam incrivelmente ocupados com o trabalho. Por outro lado, o estudante de medicina dispunha de mais tempo para passar com o paciente e seus familiares. De modo geral, o estudante também atribuía maior valor ao fato de conhecer o paciente e sua família. Éramos quase sempre encarregados de falar com a família ou de transmitir mensagens ao paciente.

Danny era o meu principal paciente e eu gostava muito dele. Passei muitas horas sentado ao seu lado, na cama de hospital, jogando jogos, lendo histórias ou simplesmente conversando. Eu admirava a coragem daquele menino. Passava também parte do meu tempo com os pais, freqüentemente no quarto triste e mal iluminado que Danny ocupava no hospital. Até mesmo comíamos juntos no refeitório. Os pais mostravam-se receosos, ao mesmo tempo que encorajados por sua atividade.

De repente, o estado de saúde de Danny piorou. Uma perigosa infecção respiratória venceu o seu sistema imune debilitado. O menino tinha dificuldade em respirar, e os seus olhos geralmente brilhantes tornavam-se baços e vidrados. Fui afastado do caso pelos membros mais antigos da equipe médica. Tratamentos com antibióticos foram iniciados, interrompidos e mudados, sem resultado. Danny continuava a piorar. Permaneci ao lado da mãe e do pai, sentindo-me impotente e horrorizado. A doença venceu. Danny morreu.

Eu estava transtornado demais para dar aos pais de Danny algo além de breves palavras ou um abraço. Identifiquei-me o quanto pude com sua dor. Três anos depois, quando o meu próprio filho morreu em um hospital, eu os compreendi ainda melhor. Mas, naquela ocasião, eu sentia uma vaga responsabilidade pela morte de Danny, como se devesse ter feito alguma coisa, qualquer coisa, para evitá-la.

Não conseguir curar um paciente é algo que fere a alma de qualquer médico. Eu compreendia o desespero de Thomas.

Um número muito menor de pacientes de psiquiatria morre da doença que os acomete. No entanto, a incapacidade de ajudar um paciente gravemente perturbado traz a mesma frustração e senso de impotência.

Quando eu era diretor do Departamento de Psiquiatria do Mount Sinai, tratei de uma bela e talentosa mulher de trinta e poucos anos. Empresária bem-sucedida, ela vivia um casamento feliz. Gradualmente se tornou paranóica, e a paranóia se agravava apesar dos remédios, da terapia e de cada intervenção. Nem eu nem outros especialistas que convoquei conseguíamos descobrir a causa, porque os sintomas da doença e os resultados dos exames eram atípicos de esquizofrenia, mania ou qualquer outra psicose. Ela começara a piorar logo depois de uma viagem que fizera ao Extremo Oriente, e um exame de laboratório detectou alto teor de anticorpos contra determinado parasita. Ainda assim, nenhum tratamento médico ou psiquiátrico mostrou-se útil, e o seu estado foi se agravando.

Mais uma vez senti a dor da impotência, a frustração do médico incapacitado de curar.

A resposta a esses problemas consiste em dirigir-nos ao paciente com amor, fazer o melhor que pudermos e não nos preocuparmos tanto com os resultados. Este conceito simples, que me pareceu tão verdadeiro é o bálsamo da compreensão de que os médicos precisam. De certo modo, eu havia me dirigido a Danny com amor, e ele retribuíra esse amor.

19

"Os anos do cavalheirismo haviam passado,
juntamente com o velho mundo, e descido à sepultura.
Eu era rei na Babilônia,
e tu eras uma escrava cristã.
Eu te vi, te tomei e te rejeitei,
Dobrei-te e quebrei o teu orgulho ...
E milhares de sóis já se puseram
desde então sobre a sepultura
decretada pelo Rei da Babilônia
para aquela que havia sido sua escrava.
O orgulho que pisoteei é hoje a minha maldição,
pois me pisoteia novamente.
O velho ressentimento dura tanto quanto a morte,
pois amamos, mas nos recusamos a mostrá-lo.
Sofro com a tua dura infidelidade,
E sofro em vão".

William Ernest Henly

Elizabeth sentia-se frustrada e infeliz. O seu novo relacionamento não durara mais do que dois encontros. Bob a evitava. Ela o conhecera há mais de um ano, casualmente, através do trabalho. Ele era bem-sucedido, simpático e tinha muitos interesses em comum com ela. Disse-lhe que o seu longo romance com uma mulher casada terminara. Bob tivera vários breves "casos" com outras mulheres, mas sempre lhe parecia que algo faltava nelas. Segundo ele, descobria que eram superficiais ou pouco inteligentes, ou tinham valores diferentes dos seus e isso o levava a terminar a ligação. Sua amante casada sempre o aceitava de volta. O marido era rico, mas a relação dos dois não era apaixonada. Ela não queria abandoná-lo e deixar a vida confortável que levava.

– Você é diferente das outras – jurava Bob a Elizabeth. – Temos muito mais coisas em comum.

Disse-lhe que ela era mais inteligente que as outras, mais bonita e que sabia que o relacionamento entre eles poderia durar.

Elizabeth se convenceu de que Bob tinha razão.

"Ele sempre esteve perto de mim, e eu mal o notava, pensava ela. Às vezes, a resposta está diante dos nossos olhos e nós não a vemos."

Esquecia-se de que o motivo pelo qual ela realmente nunca notara Bob nem sua beleza física era por nunca ter sentido qualquer química entre eles. Sentia-se só e desejava desesperadamente cair nos braços de um homem. Resolveu ouvir o que a mente lhe dizia e ignorou a advertência do coração.

O primeiro encontro foi muito promissor. Saíram para um jantar modesto, um bom filme e conversa íntima, enquanto olhavam o quebrar das ondas na praia sob a luz de uma lua quase cheia.

– Eu poderia me apaixonar por você – disse ele, acenando-lhe com uma promessa que nunca iria cumprir.

Ela ouvia cuidadosamente cada palavra, ignorando a falta de reação do coração.

O segundo encontro pareceu-lhe muito bom. Ela se divertiu bastante e sentiu que ele também se divertira. O afeto que ele demonstrava parecia genuíno. Bob deu a entender que desejava sexo no futuro. Mas nunca mais telefonou.

Finalmente, ela ligou para ele. Bob disse que sim, que queria vê-la novamente, mas que andava muito ocupado e era difícil marcar uma data certa. Não mudara de idéia, garantiu. *Queria* realmente vê-la; apenas não sabia dizer-lhe quando.

– Por que sempre escolho fracassados? – perguntou-me ela. – O que há de errado comigo?

– Você não escolhe fracassados – respondi. – Ele é um homem simpático e bem sucedido, e disse-lhe que estava interessado e disponível. Não ponha a culpa em si mesma.

Intimamente eu sabia que ela estava certa, mas não lhe disse isso. Ela realmente escolhia fracassados, no caso um fracassado emocional. Aconteceu que ele não pôde abandonar a segurança de sua amante casada. Preferiu permanecer dependente e "seguro". Elizabeth tornou-se a vítima do seu medo e de sua falta de coragem. "Melhor agora do que mais tarde", pensei. Elizabeth era forte, haveria de recuperar-se.

Elizabeth perguntou se ainda tínhamos tempo para tentar uma regressão. Ela sentia que algo importante estava para vir à tona, e desejava ansiosamente encontrar essa coisa, de modo que fomos adiante.

Depois que ela emergiu em uma remota vida passada, a minha certeza de haver tomado a decisão acertada já não era tanta.

Ela se viu em uma terra de vastas planícies ondulantes e colinas achatadas no topo. Uma terra onde os bois se pareciam com iaques e os cavalos eram pequenos e ágeis, onde as tendas arredondadas eram habitadas por pastores nômades.

O homem com quem ela se casara passava a maior parte do tempo longe de casa, caçando ou guerreando com os outros homens. O inimigo atacou, caindo em ondas de assalto de cavalaria sobre os poucos defensores. Os pais do marido foram mortos primeiro, despedaçados por espadas afiadas como navalhas. Seu bebê foi morto em seguida, trespassado por uma lança. O espírito dela revoltou-se. Queria morrer também, mas esse não era o seu destino. Capturada pelos jovens guerreiros em virtude de sua beleza, ela se tornou a propriedade do membro mais forte da horda invasora. Algumas outras mulheres jovens foram também poupadas.

– Deixe-me morrer! – implorava ela, mas ele não a atendeu.

– Você é minha agora – disse ele simplesmente. – Morará comigo em minha tenda e será minha esposa.

Com exceção do antigo marido, a quem ela nunca mais viu, todos os seus entes queridos estavam mortos. Não tinha escolha. Tentou fugir várias vezes, mas era rapidamente apanhada. Suas tentativas de suicídio eram igualmente frustradas.

O seu espírito se enrijeceu e a sua depressão transformou-se em cólera constante e ardente, devorando a sua capacidade de amar. Sua alma secava e ela meramente existia, um coração endurecido preso a um corpo vivo. Nenhuma prisão poderia ser mais limitadora ou mais cruel.

– Voltemos no tempo – sugeri. – Voltemos para antes do assalto à aldeia onde você morava. – Contei de três até um. – O que vê?

O rosto de Elizabeth estava agora sereno e em paz, enquanto ela recordava seus primeiros anos, crescendo, rindo e brincando com o homem com quem se casaria mais tarde. Amava aquele seu companheiro de infância, e ele retribuía-lhe esse amor. Ela se sentia tranqüila.

– Reconhece esse homem com quem se casou? Olhe em seus olhos.

– Não, não o reconheço – respondeu ela finalmente.

– Olhe outras pessoas de sua aldeia. Reconhece alguém?

Ela examinou atentamente os parentes e amigos que tinha nessa outra vida.

– Sim ... sim, minha mãe está lá! – exclamou ela, feliz. – Ela é a mãe do meu marido. Somos muito apegadas uma à outra. Quando a minha verdadeira mãe morreu, ela passou a cuidar de mim como a uma filha. Eu a reconheço!

– Reconhece mais alguém? – indaguei.

– Ela mora na maior tenda de todas, aquela com as bandeiras e penas brancas – disse ela, ignorando a minha pergunta.

Depois, uma sombra desceu-lhe sobre o rosto.

– Mataram-na também! – gemeu, voltando à cena do massacre.

– Quem a matou? De onde eles vieram?

– Do leste, de além da muralha ... Foi para lá que me levaram.

– Sabe o nome da terra deles?

Ela pensou antes de responder.

– Não. Parece ser em algum lugar da Ásia, no norte. Talvez a oeste da China ... Todos temos traços chineses.

– Tudo bem – respondi. – Avancemos no tempo, dentro dos limites dessa vida. O que lhe acontece?

– Finalmente deram-me permissão de me matar, depois

que eu envelheci e já não era tão atraente – respondeu Elizabeth, sem muita emoção. – Acho que se cansaram de mim.

Agora flutuava, tendo saído do corpo.

Pedi-lhe que examinasse a sua vida.

– O que vê? Quais foram as lições? O que você aprendeu?

Elizabeth ficou em silêncio durante alguns instantes. Depois respondeu:

– Aprendi muito. Aprendi o que é a cólera e como é inútil guardarmos rancor. Eu poderia ter ajudado as crianças pequenas, os velhos, os doentes, na cidade inimiga. Poderia ter ensinado algumas coisas a eles. Poderia tê-los amado ... mas nunca me permiti amá-los. Não deixei que a minha ira passasse. E essas crianças, pelo menos, eram inocentes. Eram almas recém-chegadas a este mundo. Nada tinham a ver com o ataque, com a morte de meus entes queridos. E no entanto eu os culpava também. Levei a minha ira até as gerações mais jovens, e isso é insensato. A ira poderia fazer-lhes mal, mas acima de tudo me fez mal ... Nunca me permiti amar novamente.

Após uma pausa, acrescentou:

– E eu tinha tanto amor para dar.

Fez outra pausa, e suas palavras pareciam vir de uma fonte superior:

– O amor é como um fluido. Preenche fendas. Preenche espaços vazios por sua própria conta. Somos nós, são as pessoas que o impedem, erigindo falsas barreiras. E quando o amor não pode encher nossos corações e mentes, quando estamos desligados de nossa alma, cuja essência é amor, todos enlouquecemos.

Meditei sobre essas palavras. Eu sabia que o amor era importante, talvez o que há de mais importante no mundo. Mas nunca me havia ocorrido que a ausência de amor podia levar-nos à loucura.

Lembrei-me então das famosas experiências feitas com macacos pelo psicólogo Harry Harlow, nas quais filhotes de macaco privados de contato, de cuidado e de amor tornavam-se completamente arredios, fisicamente doentes ou até mesmo morriam. Não conseguiam sobreviver intatos sem amor. Amar não é uma opção. É uma necessidade.

Voltei-me para Elizabeth.

– Olhe adiante no tempo. Como a sua vida atual é afetada por aquilo que você aprendeu durante essa existência? E como essas lições, essas lembranças podem ajudá-la hoje em sua vida a sentir-se mais feliz, mais tranqüila e mais amorosa?

– Devo aprender a afastar-me da ira, não guardá-la, reconhecê-la, reconhecer as suas origens e deixá-la ir. Devo sentir-me livre para amar, não recusar-me e, no entanto, continuo procurando. Não encontrei ninguém a quem possa amar completamente, incondicionalmente. Sempre parece haver um problema.

Calou-se por alguns instantes. De repente, pôs-se a falar com uma voz muito mais profunda e lenta do que a habitual. A sala ficou muito fria.

– Deus é único – começou, lutando em busca das palavras. – É todo uma única vibração, uma única energia. A diferença está apenas no ritmo da vibração. Assim, há entre Deus, as pessoas e as pedras a mesma relação que há entre o vapor, a água e o gelo. Todas as coisas, tudo o que existe é feito daquele princípio único. O amor derruba as barreiras e cria unidade. O que cria barreiras, separação e diferenças é a ignorância. Você deve ensinar-lhes estas coisas.

E foi só. Elizabeth estava descansando.

Pensei nas mensagens de Catherine, que me pareciam tão semelhantes às de Elizabeth. Até mesmo a sala ficava fria quando Catherine transmitia as suas mensagens, do mesmo modo como esfriara no caso de Elizabeth. Refleti sobre o que ela dissera. A cura é o ato de unir, de remover barreiras. A separação é o que causa o mal. Por que as pessoas acham tão difícil aceitar esse conceito?

☆ ☆ ☆

Embora eu tenha realizado mais de mil regressões individuais a vidas passadas com os meus pacientes, além de muitas outras em grupo, pessoalmente só tive uma meia dúzia de experiências desse tipo. Algumas lembranças me vieram em sonhos vívidos e durante um tratamento de *shiatsu* ou acupressura. Algumas dessas lembranças foram descritas em meus livros anteriores.

Quando terminou o seu curso de hipnoterapia para aperfeiçoar-se como assistente social, a minha esposa Carole realizou algumas sessões de regressão a vidas passadas, usando-me como paciente. Eu desejava ter essa experiência com alguém em quem pudesse confiar e que fosse competente.

Praticava meditação há anos, e não tardei a cair em transe hipnótico profundo. Quando as lembranças começaram a inundar a minha mente, eram principalmente visuais e bastante vívidas, como as imagens dos meus sonhos.

Vi-me como um rapaz de abastada família judia em Alexandria, por volta do tempo de Cristo. Sabia que a nossa comunidade ajudara a financiar a construção das enormes portas douradas do Grande Templo de Jerusalém. Meus estudos incluíam o grego clássico e a filosofia dos gregos antigos, especialmente dos seguidores de Platão e Aristóteles.

Lembro-me de um fragmento da vida daquele jovem, quando tentou complementar a sua educação clássica viajando entre as comunidades clandestinas dos desertos e cavernas do sul da Palestina e do norte do Egito. Cada uma dessas comunidades era uma espécie de centro de estudos, geralmente de conhecimentos místicos e esotéricos. Algumas delas eram provavelmente aldeias de essênios.

Eu viajava com toda simplicidade, levando apenas um pouco de alimentos e algumas roupas. Quase tudo aquilo de que eu necessitava me era fornecido no caminho. A minha família tinha dinheiro e as pessoas nos conheciam.

O saber espiritual que eu estava adquirindo era muito rápido e excitante, e a viagem me agradou.

Durante várias semanas, em minha peregrinação de uma comunidade para outra, juntou-se a mim um homem mais ou menos da minha idade. Era mais alto que eu e tinha intensos olhos castanhos. Ambos usávamos túnicas e cobríamos a cabeça com turbantes. Ele transmitia paz e, enquanto estudávamos juntos com os sábios das aldeias, assimilava os ensinamentos bem mais rapidamente que eu. Depois me ensinava, quando acampávamos juntos, ao pé de uma fogueira, no deserto.

Ao cabo de algumas semanas, nos separamos. Fui estudar em uma pequena sinagoga próxima à Grande Pirâmide, e ele foi para o ocidente.

Muitos dos meus pacientes, inclusive Elizabeth e Pedro,

se haviam lembrado de existências naquela região da antiga Palestina. Muitos lembravam-se do Egito.

Para mim, como para eles, as imagens pareciam extremamente vívidas e bastante reais.

20

"Ó tu, moço ou jovem que te julgas abandonado pelos deuses, saiba que, se te tornares pior, irás ter com as piores almas, ou, se melhor, juntar-te-ás às melhores almas, e em toda sucessão de vida e morte farás e sofrerás o que um igual pode merecidamente sofrer nas mãos de iguais. É esta a justiça dos céus".

Platão

Às vezes, os acontecimentos mais importantes de nossa vida sucedem antes que os percebamos, como a aproximação silenciosa de um gato selvagem. Como deixamos de notar algo tão importante? A camuflagem é psicológica.

A negação, o ato de não ver o que está diante de nossos olhos, pelo fato de realmente não querermos ver, é o maior desses disfarces. Acrescente-se a fadiga, as distrações, as racionalizações, a fuga mental e todos os outros afazeres da mente que se interpõem em nosso caminho. Felizmente, a persistência do destino pode atravessar os disfarces e distinguir aquilo que precisamos ver, a cena principal emergindo do fundo como nas imagens em três dimensões.

No decorrer dos últimos quinze anos, tratei muitas vezes de casais ou de membros de uma família que se descobriram uns aos outros em vidas passadas. Às vezes fazia regressão de casais que, pela primeira vez e simultaneamente, se viam interagindo na mesma vida anterior. Tais revelações são chocantes para o casal. Os dois nunca haviam passado antes por experiência semelhante. Permanecem em silêncio enquanto as cenas se desenrolam em meu consultório de psiquiatria. Só depois, quando emergem do relax provocado pelo estado hipnótico, eles descobrem que estavam vendo as mesmas cenas, sentindo as mesmas emoções. E é somente então que eu também percebo as suas conexões passadas.

Mas, com Elizabeth e Pedro tudo acontecera ao contrário. Suas vidas e as épocas em que haviam vivido estavam se desenrolando independente e separadamente em meu consultório. Eles não se conheciam. Jamais se haviam encontrado. Pertenciam a países e culturas diferentes. Vinham ao meu consultório em dias diferentes. Vendo-os separadamente e sem jamais suspeitar de um elo entre eles, eu não fiz a conexão. Eles se amaram e se perderam no correr de várias existências.

Por que eu não percebera isso antes? Seria este o meu destino? Serei eu alguma espécie de casamenteiro cósmico? Estava distraído, fatigado, empenhado em negar, racionalizando "coincidências"? Ou estava tudo vindo a seu tempo, a idéia nascendo na hora certa, da maneira como estava planejado desde o início?

A idéia me veio naquela mesma noite. "Eli"? Fora Elizabeth que pronunciara aquele nome. Eu o havia escutado da boca de Elizabeth, semanas antes, em meu consultório. Sem nenhuma dúvida, de Elizabeth.

Naquele mesmo dia, horas antes, Pedro não se lembrava do seu nome. Em transe hipnótico, ele havia emergido em uma existência antiga, uma vida de que antes se lembrara em meu consultório. Naquela vida, ele morrera depois de ser arrastado por soldados que usavam uniformes de couro. Sua vida se esvaíra enquanto sua cabeça repousava no colo de sua filha amada, que o embalava ritmicamente, em desespero.

Na sessão de hoje, Pedro visitou novamente aquela existência. Talvez houvesse algo mais a aprender com aquela vida. Mais uma vez, lembrou-se de haver morrido nos braços dela, a vida se esvaindo rapidamente. Pedi que ele a olhasse atentamente, olhasse no fundo dos seus olhos e tentasse reconhecer nela alguém em sua vida atual.

– Não – respondeu ele com tristeza – não a conheço.

– Sabe o seu nome? – perguntei, dirigindo a sua atenção completamente para aquela vida em tempos antigos na Palestina.

Pedro refletiu sobre a pergunta.

– Não – disse ele finalmente.

– Tocarei em sua testa e contarei de três a um. Deixe que o seu nome lhe venha à mente, lhe aflore à consciência. Não importa o nome que lhe venha.

Nenhum nome lhe veio à mente.

– Não sei o meu nome. Nada me ocorre!

Mas algo me ocorreu, subindo-me à mente como uma explosão silenciosa, subitamente clara e vívida.

– Eli – disse eu em voz alta. – O seu nome é Eli?

– Como sabe disso? – reagiu ele, numa voz que vinha do fundo do tempo. – É realmente esse o meu nome. Alguns me chama de Elihu, outros me chamam simplesmente de Eli ... Como você sabe? Você estava lá também?

– Não sei – respondi sinceramente. – Foi algo que me ocorreu.

Eu estava surpreso com toda aquela situação. *Como* eu sabia? Eu tivera antes vislumbres psíquicos ou intuitivos, mas não com freqüência. Era como se eu estivesse *recordando* alguma coisa, e não recebendo uma mensagem psíquica. Recordando que tempo? Não conseguia localizá-lo. Tentei lembrar, mas não consegui.

Sabia por experiência que devia parar de tentar lembrar. Deixasse isso passar, continuasse com o meu trabalho do dia. A resposta provavelmente logo viria por si mesma.

Uma parte importante de algum estranho quebra-cabeças estava faltando. Eu podia sentir a sua ausência, capaz de fazer uma conexão crucial uma vez que fosse descoberta. Mas uma conexão com quê? Tentei, sem muito sucesso, concentrar-me em outras coisas.

Mais tarde, naquela noite, a peça que faltava me veio à mente de repente e com muita sutileza. Subitamente me dei conta.

Foi durante a entrevista com Elizabeth. Há cerca de dois meses, ela narrara novamente uma existência trágica mas tocante como filha de um oleiro na antiga Palestina. O pai fora morto "acidentalmente" por soldados romanos depois que eles o arrastaram, puxado por um cavalo. Os soldados não se importavam com o que lhe acontecera. O corpo ferido, a cabeça sangrando, ele havia sido amparado pela filha e morrera na rua poeirenta.

Ela se lembrava do nome que ele tinha naquela vida. Era Eli.

A minha mente trabalhava rápido agora. Os detalhes das duas vidas na Palestina se encaixavam. O relato de Pedro e as lembranças que Elizabeth guardava daquele tempo coincidiam perfeitamente. Descrições físicas, eventos e nomes eram os mesmos. Pai e filha.

Já trabalhei com muitas pessoas, geralmente casais, que se haviam encontrado em vidas passadas. Muitos haviam reconhecido as almas gêmeas, viajando juntos no tempo para se unirem de novo na vida atual.

Nunca antes encontrara almas gêmeas que ainda não se haviam encontrado no tempo presente. Neste caso, almas companheiras que haviam viajando quase dois mil anos para se unirem novamente. Haviam percorrido todo esse caminho, estavam a centímetros e minutos uma da outra, mas ainda não haviam feito a conexão.

Em casa, onde as fichas dos dois estavam arquivadas em meu estúdio, tentei lembrar-me de alguma outra vida que eles houvessem tido em comum. Não, não como monges. Uma história, mas não duas, pelo menos ainda não. Não nas rotas dos mercadores da Índia, não nos pântanos da Flórida, não nas plagas americanas onde grassava a malária e por enquanto não na Irlanda. Eram essas as únicas vidas de que eu me lembrava.

Outro pensamento me ocorreu. Talvez eles houvessem estado juntos em uma ou em todas essas vidas, mas não se haviam reconhecido por jamais terem se encontrado no presente. Não havia um rosto, um nome, um marco na vida presente, ninguém que eles pudessem ligar a pessoas que encontravam em encarnações anteriores.

Depois lembrei-me de Elizabeth no oeste da China, as planícies desgastadas pelo tempo, onde o seu povo havia sido massacrado e onde ela e algumas outras mulheres tinham sido capturadas. A essas mesmas planícies, que ele identificava como a Mongólia, Pedro havia retornado para encontrar a sua família, os seus parentes, o seu povo destruídos.

No caos, na destruição e no desespero de suas lembranças, ele e eu havíamos presumido que a sua jovem esposa havia sido morta. Isso não acontecera. Ela fora capturada e levada para longe, pelo resto da vida, sem jamais ter voltado para os braços fortes do seu marido mongol.

Agora esses braços haviam voltado, atravessando a névoa aleatória do tempo, para abraçá-la de novo, para apertá-la docemente contra o peito. Mas eles não sabiam. Somente eu sabia.

Pai e filha. Namorados de infância. Marido e mulher. Quantas outras vezes no decorrer da história eles haviam partilhado da mesma vida e do mesmo amor?

Estavam juntos de novo e não o sabiam. Ambos sentiam-se sós, ambos sofriam à sua maneira. Ambos estavam sedentos e, no entanto, havia um banquete à sua espera, um banquete do qual eles ainda não podiam provar.

Eu estava fortemente impedido pelas "leis" da psiquiatria, senão pelas leis mais sutis do carma. A mais severa dessas leis é a da privacidade ou do sigilo. Se a psiquiatria fosse uma religião, divulgar as confidências de um paciente seria um dos seus pecados capitais. No mínimo, essa violação poderia constituir negligência no exercício da profissão. Eu não podia falar a Pedro a respeito de Elizabeth nem a Elizabeth a respeito de Pedro. Qualquer que fosse o resultado, do ponto de vista espiritual ou do carma, de interferir com o livre arbítrio de alguém, as conseqüências de violar a principal lei da psiquiatria eram bastante claras.

As conseqüências espirituais não me teriam detido. Eu poderia apresentá-los um ao outro e deixar que o destino seguisse o seu curso. Mas as conseqüências psiquiátricas me imobilizaram.

E se eu estivesse errado? Se um relacionamento entre eles fosse iniciado, frustrado, e terminasse mal? Poderia haver cólera e amargor. Como isso se refletiria em seus sentimentos a meu respeito como o psiquiatra em quem eles confiavam? O progresso clínico dos dois se perderia? Todo o bom trabalho terapêutico seria desfeito? Os riscos eram positivamente claros.

Era-me necessário também examinar os meus motivos subconscientes. Estaria o meu arbítrio, naquele caso, sendo afetado pela minha necessidade de ver os meus pacientes mais felizes e sadios, pela necessidade de encontrar paz e amor em sua vidas? Estariam as minhas próprias necessidades me incitando a violar as fronteiras da ética psiquiátrica?

A opção mais fácil seria deixar tudo como estava e nada dizer. Nenhum mal feito, nenhuma conseqüência. Em caso de dúvida, não fazer mal.

Uma decisão igualmente difícil tinha sido a de escrever *Muitas Vidas, Muitos Mestres*. Escrever este meu primeiro livro pôs em risco toda a minha carreira profissional. Depois de hesitar durante quatro anos, eu finalmente decidira escrevê-lo.

Mais uma vez, resolvi correr o risco. Eu iria intervir. Tentaria dar um empurrão no destino. Como concessão à minha formação e aos meus temores, eu o faria com o máximo de cuidado e sutileza.

☆ ☆ ☆

As cenas e os detalhes de épocas históricas específicas lembrados por Elizabeth, Pedro e vários outros pacientes meus são muito semelhantes entre si. Essas imagens não são necessariamente como as que aprendemos na Escola Dominical, em livros de história ou vendo televisão.

E são semelhantes porque decorrem de lembranças verdadeiras. Durante a sua regressão em frente às câmaras de televisão, Carolina Gómez, a ex-Miss Colômbia e candidata ao título de Miss Universo de 1994, lembrava-se de ter sido um homem nu, puxado por cavalos romanos até morrer. É uma morte semelhante àquela lembrada por Pedro. Outros pacientes também lembravam-se de ter morrido em circunstâncias semelhantes, puxados por cavalos, também em outras culturas.

Uma paciente minha do Colorado lembrava-se de ter sido seqüestrada e levada de sua tribo nativa norte-americana e de jamais ter visto sua família novamente. Mais tarde fugiu, porém morreu no equivalente a uma enfermaria de doentes mentais no velho Oeste. Como isto lembra a experiência de Elizabeth na Ásia!

O tema de separação e perda é comum em regressões a vidas passadas. Estamos todos procurando curar nossos traumas psíquicos. Essa necessidade de cura traz mais à lembrança os velhos traumas que provocaram a nossa dor e os nossos sintomas, do que os tempos serenos e felizes que não deixaram cicatrizes.

Vez por outra, eu trabalho com duas ou mais pessoas ao mesmo tempo. Em tais ocasiões, não faço nenhuma delas falar, pois isso poderia perturbar a outra pessoa. Recentemente, em meu consultório, fiz a regressão simultânea de um casal.

A regressão silenciosa dos dois ocupou toda a sessão, e não tivemos tempo de rever suas experiências.

Ao sair do consultório, o casal se pôs a comparar anotações. Por incrível que pareça, ambos tiveram uma experiência em comum numa existência passada. Ele fora uma autoridade britânica nas colônias americanas e ela era uma mulher que vivera nessas colônias. Encontraram-se e se apaixonaram profundamente. Ele foi chamado de volta à Grã-Bretanha e não voltou para rever sua amada. Ela sentiu-se arrasada por essa separação e, no entanto, nenhum dos dois podia fazer algo para evitá-la. A sociedade colonial e o sistema militar britânico tinham regras e costumes rígidos.

Ambos viram e descreveram a mulher nas mesmas roupagens antigas. Ambos descreveram o navio no qual ele partira da colônia para voltar à Inglaterra e a triste e chorosa despedida que houve na ocasião. Todos os detalhes da lembrança de ambos coincidiam.

As lembranças dos dois explicavam também problemas do relacionamento na vida atual. Um dos maiores problemas era o medo quase obsessivo que ela tinha de separar-se dele; ele, por sua vez, sentia a necessidade constante de assegurar-lhe que não ia abandoná-la. Os temores dela e a necessidade dele não tinham base alguma na realidade do relacionamento atual. O problema tinha raízes em tempos coloniais.

Ao fazer regressão a vidas passadas, outros terapeutas chegam aos mesmos resultados. Traumas surgem com maior freqüência do que lembranças felizes. As cenas de morte são importantes porque costumam ser mais traumáticas. As existências parecem familiares e cenas importantes parecem semelhantes porque os mesmos temas e as mesmas invenções do homem surgiram em todos os tempos em todas as culturas.

"Aquilo que foi é o que virá a ser, e o que se tem feito é o que se fará; de modo que não há nada de novo sob o sol." (Eclesiastes 1:9)

21

"... acreditando como acredito na teoria do renascimento, vivo na esperança de que, se não nesta vida atual, em outra vida eu possa abraçar toda a humanidade em um amplexo amigo".

Mohandas K. Gandhi

Eu lutava contra o tempo e me sentia pressionado. Pedro estava a ponto de terminar a sua terapia e mudar-se permanentemente para o México. Se Pedro e Elizabeth não se encontrassem logo, estariam depois em países diferentes. A probabilidade de encontro na vida atual diminuiria muitíssimo.

As reações de dor de ambos estavam cedendo. Os sintomas físicos, como qualidade de sono, níveis de energia e apetite haviam melhorado. Mas a solidão e a desesperança de encontrar um relacionamento satisfatório e afetuoso permaneciam intatas.

Preparando Pedro para terminar a terapia, eu reduzira a freqüência de suas consultas para uma de quinze em quinze dias. Não me restava muito tempo.

Marquei suas próximas consultas em seqüência, para que

a de Pedro se seguisse à de Elizabeth. Quem quer que entre ou saia de meu consultório tem de passar pela sala de espera.

Durante a sessão de Elizabeth, preocupei-me com a possibilidade de Pedro não comparecer à sua consulta. Coisas acontecem – defeitos no carro, uma emergência, doenças inesperadas – e as consultas são canceladas.

Mas ele veio. Passei pela sala de espera ao lado de Elizabeth. Os dois se olharam, um olhar que durou mais de um momento. Senti o súbito interesse, o vislumbre de um mundo de possibilidades logo abaixo da superfície. Ou seria isso a projeção de um desejo meu?

A mente de Elizabeth logo reassumiu seu controle habitual, dizendo que ela precisava ir embora, advertindo-a quanto à conduta adequada. Ela se dirigiu para a porta e deixou o consultório.

Com um movimento de cabeça, convidei Pedro a entrar.

– Mulher muito atraente – comentou ele ao sentar-se pesadamente na grande poltrona de couro.

– Concordo – respondi animado. – E é também uma pessoa muito interessante.

– Ótimo – disse ele melancólico. Sua atenção já começara a se desviar. Voltou-se para a tarefa de terminar nossas sessões e passar para a próxima fase de sua vida. Afastara da mente o seu breve encontro com Elizabeth.

Nem Pedro nem Elizabeth quiseram levar adiante aquele encontro na sala de espera. Nem ele nem ela pediram maiores informações acerca do outro. A minha manobra fora sutil demais, passageira demais.

Duas semanas depois, decidi tentar novamente a coincidência de horário. A não ser que eu decidisse ser mais direto e violar o sigilo profissional, falando diretamente a um deles ou a ambos, aquela seria minha última oportunidade. Era a última consulta de Pedro antes de partir.

Os dois se olharam novamente quando eu a acompanhei à sala de espera. Os olhos se encontraram e desta vez o contato demorou mais tempo. Pedro fez um leve cumprimento de cabeça e sorriu. Elizabeth sorriu também. Hesitou um instante, depois voltou-se para a porta e saiu.

"Confie em si mesma!" pensei, tentando lembrá-la mentalmente de uma lição importante. Ela não reagiu.

Novamente Pedro não insistiu no assunto. Não me perguntou a respeito de Elizabeth. Estava absorvido pelos detalhes de sua mudança para o México e com o término de sua terapia.

Talvez isso não vá acontecer, pensei. Ambos haviam melhorado, embora não se sentissem felizes. Talvez isso fosse suficiente.

⭐ ⭐ ⭐

Nem sempre as pessoas se casam com a alma gêmea à qual estão mais fortemente ligadas. Pode haver mais de uma à nossa espera, pois as famílias de almas viajam juntas. Podemos decidir casar com uma alma gêmea menos ligada a nós, alguém que tenha alguma coisa específica a nos ensinar ou a aprender conosco. O reconhecimento da alma gêmea pode ocorrer mais tarde, quando já estamos comprometidos com nossas famílias. Ou a conexão mais forte com uma alma gêmea pode ser com um pai, um filho, um irmão ou irmã. Ou esta conexão pode ser com uma alma gêmea que ainda não encarnou nesta vida e que nos protege do outro lado, como um anjo da guarda.

Às vezes a alma gêmea está desejosa e disponível para unir-se a nós. Ele ou ela talvez reconheça a paixão e a química que existem, os laços íntimos e sutis que envolvem conexões ao longo de muitas vidas. No entanto, ela nos pode ser prejudicial. É uma questão de desenvolvimento espiritual.

Se um dos espíritos é menos desenvolvido e mais ignorante que o outro, traços de violência, cobiça, ciúme, ódio e medo podem interferir no relacionamento. Essas tendências são nocivas para a alma mais desenvolvida, ainda que venham de uma alma gêmea. Não raro, surgem fantasias do tipo "eu posso mudá-lo, posso ajudá-la a crescer". Mas, se ele não permite que você o ajude, se em seu livre arbítrio ela prefere não aprender e se recusa a crescer, o relacionamento está condenado. Talvez haja outra oportunidade em outra vida, a não ser que ele desperte depois, nesta mesma vida. Há almas que despertam tardiamente.

Às vezes, almas gêmeas decidem não se casar enquanto estão encarnadas. Conseguem encontrar-se e permanecer juntas até que a tarefa ajustada esteja completa, e depois seguem adiante. Os programas de vida de cada uma, os planos de aprendizado para toda esta vida são diferentes e elas não desejam ou não precisam passar toda esta existência juntas. O que não é uma tragédia, apenas uma questão de aprendizagem. As duas têm uma vida eterna em companhia uma da outra, mas às vezes precisam freqüentar aulas separadas.

Uma alma gêmea que está disponível mas que não despertou é uma figura trágica, capaz de provocar grande angústia. Não haver despertado significa que ele ou ela não vê a vida com clareza, não está consciente dos muitos níveis de existência. Não haver despertado significa não saber acerca de espíritos. Geralmente é a mentalidade do dia-a-dia que impede o despertar.

Ouvimos a toda hora as desculpas da mente: "Sou jovem demais; preciso ter mais experiência; não estou pronta ainda para me casar, você pertence a uma religião, raça, país, posição social, nível intelectual, antecedentes culturais diferentes – e assim por diante". Tudo são desculpas, pois as almas não possuem tais atributos.

A pessoa pode reconhecer a química. Existe definitivamente uma atração, mas a fonte da química não é compreendida. É ilusório pensar que essa paixão, esse reconhecimento e essa atração espiritual serão facilmente encontrados em outra pessoa. Não se encontra uma alma gêmea todos os dias. Talvez somente uma ou duas em toda uma existência.

Nunca se preocupe em encontrar almas gêmeas. O destino se encarrega desses encontros. *Certamente acontecerão*. Após o encontro, o livro arbítrio das duas prevalece. As decisões que são ou não tomadas dependem do livre arbítrio, da opção. Os menos despertos tomam decisões baseadas na mente e em todos os seus temores e preconceitos. Infelizmente isso costuma levar ao desgosto. Quanto mais despertos forem os dois, maior é a probabilidade de uma decisão baseada no amor. Quando ambos estão despertos, o êxtase está ao seu alcance.

22

"Lê-me, Leitor, se encontras prazer em ler-me, porque muito raramente eu voltarei a este mundo".

Leonardo Da Vinci

Felizmente, espíritos mais criativos que o meu vinham sabiamente conspirando nas alturas para promover um encontro entre Elizabeth e Pedro. Este reencontro estava predestinado. O que acontecesse depois iria depender deles.

Pedro estava indo a Nova York a negócios. Depois de ficar lá alguns dias, ele iria passar duas semanas em Londres, de férias e a negócios, antes de voltar ao México. Elizabeth estava indo a Boston para uma reunião de negócios, após a qual visitaria a sua antiga companheira de quarto na universidade. Os dois iam viajar pela mesma companhia aérea, mas em horários diferentes.

No balcão do aeroporto, Elizabeth veio a saber que o seu vôo para Boston havia sido cancelado. Problemas mecânicos, foi que o disseram. O destino estava em ação.

Elizabeth ficou contrariada. Precisava telefonar à amiga e mudar seus planos. A companhia aérea podia levá-la a Newark, onde ela pegaria a ponte aérea para Boston, cedo na manhã seguinte. Naquela manhã teria uma importante reunião de negócios à qual não podia faltar.

Sem que ela soubesse, esses novos planos a colocaram no mesmo vôo de Pedro. Ele já estava no aeroporto, esperando a chamada do seu vôo, quando ela chegou ao portão. Vendo-a pelo canto dos olhos, ele cautelosamente observou-a enquanto ela se apresentava ao encarregado do balcão e depois sentou-se no salão de espera. Elizabeth ocupava agora toda a atenção de Pedro, que a reconheceu a partir dos breves encontros em minha sala de espera.

Uma sensação de familiaridade, de interesse tomou conta dele. Estava inteiramente concentrado nela, vendo-a abrir um livro. Observava-lhe os cabelos, as mãos, os movimentos, o modo de sentar-se, e tudo nela lhe parecia familiar. Ele a vira momentaneamente na sala de espera, mas por que *aquele* nível de familiaridade? Certamente os dois se haviam encontrado antes daquela ocasião no consultório. E ele rebuscava a mente, procurando lembrar-se de onde.

Elizabeth pressentiu que estava sendo observada, mas isso lhe acontecia com freqüência. Tentou concentrar-se na leitura. A concentração era difícil depois de todas as mudanças rápidas de planos, mas a prática de meditação a ajudava. Conseguiu esvaziar a mente e concentrar-se no livro.

A sensação de estar sendo observada persistia. Ela ergueu os olhos e viu que ele a olhava. Fez um ar de desagrado, mas logo sorriu quando o reconheceu dos breves encontros na sala de espera. Instintivamente sabia que estava segura na companhia daquele homem. Mas como sabia disso?

Olhou-o durante mais um instante, depois voltou os olhos

para o livro, agora completamente incapaz de concentrar-se na leitura. Seu coração começou a bater mais depressa e a respiração se acelerou. Ela *sabia*, não tinha a menor dúvida de que ele estava sendo puxado para ela, que muito em breve ele a abordaria.

Viu-o aproximar-se. Ele se apresentou e os dois passaram a conversar. A atração foi mútua, imediata e muito forte. Dali a pouco, ele sugeriu que trocassem de assentos no avião, para poderem sentar ao lado um do outro.

Já eram mais do que simples conhecidos quando o avião decolou. A Elizabeth, Pedro parecia extremamente familiar. Ela sabia claramente os gestos que ele iria fazer, as palavras que diria. Elizabeth fora muito intuitiva quando criança. Os valores e crenças de sua educação conservadora do centro-oeste tinham bloqueado esse talento, mas agora todas as suas antenas estavam erguidas e inteiramente atentas.

Quanto a Pedro, não conseguia desviar os olhos do rosto dela. Nunca se sentira tão cativado pelos olhos de uma pessoa. Seus olhos eram tão claros, tão profundos! Eram de um azul celeste, com uma orla escura em volta, pequenas pintas cor de avelã que eram como ilhas flutuando no mar azul que o engolfava.

Mentalmente, ele ouviu de novo as palavras da mulher de vestido branco, a mulher angustiada que lhe aparecia em repetidos sonhos:

– Segure-lhe a mão ... dirija-se a ela.

Pedro hesitou. Desejava segurar-lhe a mão. "Ainda não", pensou. "Mal a conheço".

Próximo a Orlando, uma tempestade fez balançar o avião, em plena noite. A súbita turbulência assustou Elizabeth, e uma breve expressão de ansiedade cobriu-lhe o rosto.

Pedro notou-o imediatamente e segurou-lhe a mão para confortá-la. Ele sabia que aquilo a confortaria.

A eletricidade tocou-lhe o coração naquela fração de segundo. E para Elizabeth foi como se a corrente lhe despertasse uma série de vidas passadas.

A conexão fora feita.

* * *

Escute a voz do seu coração, do seu próprio saber intuitivo ao tomar decisões importantes, especialmente ao decidir quanto a uma dádiva do destino, como o reencontro de uma alma gêmea. O destino irá depositar a dádiva diretamente a seus pés, mas o que você decidirá fazer com essa dádiva depende de você. Se ouvir unicamente os conselhos de terceiros, pode cometer erros terríveis. O seu coração sabe do que você precisa. As outras pessoas têm outros caminhos.

O meu pai, bem intencionado mas parcialmente cego por seus próprios temores, opôs-se aos meus planos de casar-me com Carole. Olhando para trás, vejo que Carole foi uma dessas maravilhosas dádivas do destino, uma alma que me acompanhava há séculos, surgindo de novo como uma bela rosa, florescendo no momento certo.

O problema era sermos muito jovens. Quando a encontrei, eu tinha somente dezoito anos e mal havia terminado o meu primeiro ano em Columbia. Carole tinha dezessete e estava para ingressar na universidade. Em poucos meses, ambos sabíamos que desejávamos estar juntos sempre. Eu não tinha desejo algum de conhecer outra pessoa, apesar das advertências da família de que éramos jovens demais, que eu não tinha experiência suficiente para tomar uma decisão tão importante na vida. Não compreendiam que o meu coração tinha a experiência de muitos séculos e que sua certeza ultrapassava qualquer compreensão racional. Era inconcebível que não fôssemos estar juntos.

A posição de meu pai tornou-se clara. Se Carole e eu nos casássemos e tivéssemos um filho, eu poderia ser forçado a deixar a escola e a esperança de formar-me em medicina iria por água abaixo. De fato, era o que acontecera com meu pai, que começara a estudar medicina no Brooklyn College durante a Segunda Guerra Mundial, mas que, com meu nascimento, foi forçado a trabalhar quando deixou o serviço militar. Nunca mais voltou à escola de medicina e os seus sonhos de tornar-se médico não se concretizaram. Esses sonhos se transformaram num amargo sentimento de frustração que pairou pesadamente sobre ele, transferindo-se para os filhos.

O amor dissolve os temores. O nosso amor dissolveu suavemente seus temores e suas projeções sobre nós. Mais tarde nós nos casamos depois do meu primeiro ano na Faculdade de Medicina, quando Carole formou-se na universidade. Meu pai chegou a amar Carole como a uma filha e abençoou o nosso casamento.

Quando as nossas intuições, os nossos sentimentos mais íntimos e o nosso coração espiritual *sabem* sem sombra de dúvida, não devemos deixar-nos levar pelos argumentos temerosos de terceiros. Às vezes bem intencionadas, outras vezes não, essas pessoas podem afastar-nos de nossa felicidade.

23

"Nascer duas vezes não é mais surpreendente que nascer uma vez: tudo na natureza é ressurreição".

Voltaire

Elizabeth telefonou-me de Boston. Havia prolongado as férias. Pedro voltara de Londres imediatamente após concluir os seus negócios. Viera também a Boston, para estar com Elizabeth. Os dois já começavam a apaixonar-se.

Ambos haviam começado a comparar as suas experiências de vidas passadas, das quais se lembravam vividamente. Mais uma vez, descobriam-se um ao outro.

– Ele é realmente uma pessoa especial – disse ela.

– Você também é especial – disse eu.

* * *

Depois de minhas experiências com Elizabeth e Pedro, meu trabalho deu um salto indescritivelmente belo para o mundo do misticismo e da magia. Quando realizo grandes sessões de treinamento nas quais cada participante tem a oportunidade de experimentar estados hipnóticos profundamente relaxados, a freqüência de eventos mágicos aumenta expressivamente.

A variedade de experiências vai muito além de vidas passadas e reencarnação. Belos eventos espirituais e místicos emergem freqüentemente e com força bastante para transformar a vida das pessoas. Tive a felicidade de ajudar a facilitar tais eventos. Eis o que aconteceu em um único período de duas semanas.

Uma repórter de jornal local compareceu a uma série de seminários e sessões de treinamento durante um fim de semana em Boston. E relatou:

"Muitas pessoas nas sessões de vidas passadas realizadas por Weiss descreveram profundas experiências emocionais e espirituais. Um desses exercícios foi especialmente impressionante.

"Weiss mandou diminuir as luzes do salão e pediu a todos que procurassem um parceiro. A cada par assim formado, pediu que olhassem o rosto um do outro durante vários minutos, enquanto usava a voz para guiar a meditação.

"Ao fim do exercício, duas mulheres que não se conheciam disseram ter-se visto como irmãs.

"Uma delas declarou que via uma freira no rosto da parceira. Quando disse isso, a mulher respondeu que, na sessão do dia anterior, tinha tido uma recordação de vida passada na qual era uma freira.

"O incidente mais espantoso foi o de uma mulher local que viu no rosto da parceira o seu irmão de dezenove anos e meio que morrera na Segunda Guerra Mundial. A parceira era uma mulher mais jovem, do Wisconsin, que explicou haver tido também, na véspera, uma lembrança de vida passada na qual era um rapaz de dezenove anos e meio, vestindo botas e uniforme do exército, morto em uma guerra que era, sem dúvida, anterior à do Vietnã. A sensação de alívio da mulher local era palpável na sala ...

"'O amor dissolve a ira', disse Weiss. 'Essa é a parte espiritual. O Valium não faz isso. O Prozac não faz isso.'"

E o amor cura a dor.

A brilhante psicoterapeuta, bióloga celular e autora, Dra. Joan Borysenko estava de pé ao meu lado, participando da minha palestra de apresentação do tema "Implicações Espirituais da Terapia de Vidas Passadas", pronunciada em Boston.

Os seus olhos azuis dançavam enquanto ela contava uma história passada há dez anos. Na época, ela era uma renomada pesquisadora do corpo docente da Faculdade de Medicina de Harvard. Durante uma conferência sobre alimentação em um hotel de Boston, na qual Joan era um das oradoras, ela se encontrou por acaso com o seu chefe, que estava participando de uma conferência médica no mesmo hotel, e mostrou-se surpreso de vê-la ali.

De volta à universidade, o chefe a ameaçou. Se novamente usasse o nome da Universidade de Harvard para uma questão tão frívola quanto uma conferência sobre alimentação, ela não voltaria a trabalhar em Harvard.

Os tempos mudaram muito de lá para cá, até mesmo em Harvard. Não só a nutrição é hoje um campo importante de ensino e pesquisa, como também alguns membros do corpo docente de Harvard estão confirmando o meu trabalho com a terapia de vidas passadas e contribuindo para ele.

No fim de semana seguinte, realizei um seminário de dois

dias em San Juan, Porto Rico. Quase quinhentas pessoas compareceram e mais uma vez a magia ocorreu. Muitas pessoas tiveram recordações da mais tenra idade, lembranças intra-uterinas e de vidas passadas. Um dos participantes, respeitável psiquiatra de Porto Rico, experimentou ainda mais.

Durante uma meditação orientada no segundo dia da conferência, o seu olho interior percebeu a figura nebulosa de uma jovem, que se aproximou dele.

– Diga-lhes que eu estou bem – pediu ela. – Diga-lhes que Natasha está bem.

O psiquiatra sentiu-se "muito bobo" ao relatar essa experiência diante do grupo. Afinal, ele não conhecia ninguém com o nome de Natasha. O próprio nome era uma raridade em Porto Rico. E a mensagem transmitida pela jovem fantasmagórica não tinha ligação com qualquer coisa que estivesse acontecendo na conferência ou com a sua vida pessoal.

– A mensagem significa alguma coisa para algum dos presentes? – perguntou o psiquiatra à platéia.

De repente, do fundo do auditório, uma mulher exclamou:

– Minha filha, minha filha!

A filha, que morrera subitamente seis meses antes, aos vinte e poucos anos, chamava-se Ana Natalia. A mãe, e somente a mãe a chamava de "Natasha".

O psiquiatra jamais conhecera ou ouvira falar de Natasha ou da mãe. Ficou tão abalado por essa experiência extraordinária quanto a mãe. Quando ambos estavam mais calmos, a mãe de Natasha mostrou-lhe uma fotografia da filha. Mais uma vez o psiquiatra ficou pálido. Tratava-se da mesma jovem cujo vulto obscuro se dirigira a ele com a sua surpreendente mensagem.

No fim de semana seguinte, dirigi uma conferência na Cidade do México. Mais uma vez, coisas mágicas e maravilhosas aconteceram à minha volta. A sensação familiar de braços arrepiados ocorria com espantosa regularidade.

Após uma meditação, uma mulher da platéia pôs-se a chorar de felicidade. Acabara de ter uma recordação de vida passada na qual seu atual marido era seu filho. Ela havia sido homem naquela existência medieval, e ela, como pai, o abandonara. Na vida atual, o marido sempre temera que ela o abandonasse. Esse temor não tinha qualquer base racional nos tempos presentes. Ela jamais ameaçara abandoná-lo. Ela o tranqüilizava constantemente, mas a sua enorme insegurança devastava-lhe a vida e vinha envenenando o relacionamento.

Agora ela entendia a verdadeira fonte do temor do marido. Correu a telefonar-lhe relatando-lhe a experiência e prometendo que jamais o abandonaria novamente.

Os problemas de relacionamento podem, às vezes, ser sanados muito rapidamente.

Ao fim do segundo dia do seminário, enquanto eu autografava livros, uma mulher chegou a mim na fila, chorando suavemente.

– Muito obrigada! – murmurou ela, ao apertar-me a mão. – O senhor não sabe o que fez por mim!

E contou:

– Há dez anos eu vinha sentindo dores terríveis na parte superior do torso. Consultei médicos aqui, em Houston e em Los Angeles. Nenhum deles pôde me ajudar, e eu sofria horrivelmente. Ontem, durante a sessão de regressão, me vi como um soldado sendo esfaqueado nas costas, logo abaixo do pescoço. Exatamente o local de minha dor. A dor desapareceu, pela primeira vez em *dez anos*, e até agora não voltou!

Estava tão feliz que não conseguia parar de sorrir e chorar.

Ultimamente, venho dizendo às pessoas que a terapia de regressão pode levar semanas ou meses para produzir resultados, que elas não devem sentir-se desanimadas se o processo lhes parecer lento. Essa senhora lembrou-me que o progresso pode ser incrivelmente rápido.

Quando afastou-se, eu me perguntei que outros milagres o futuro traria.

Quanto mais vejo os meus pacientes e participantes de conferências revivendo lembranças de suas vidas passadas, e quanto mais assisto às suas experiências místicas, mais me convenço de que o conceito da reencarnação é apenas uma ponte.

Os resultados terapêuticos resultantes da travessia dessa ponte são inquestionáveis. As pessoas melhoram, mesmo quando não acreditam em vidas passadas. A crença do terapeuta tampouco é importante. As memórias são evocadas e os sintomas desaparecem.

No entanto, muitas pessoas se fixam na ponte, quando poderiam descobrir o que há além da ponte. Ficam obcecadas por pequenos detalhes, nomes, exatidões históricas. Querem apenas descobrir o máximo possível de detalhes do maior número possível de vidas passadas.

São pessoas que não conseguem ver a floresta por causa das árvores. A reencarnação é uma ponte para maior conhecimento, sabedoria e compreensão. Lembra-nos daquilo que levamos conosco e do que não levamos, da razão de estarmos aqui e do que devemos fazer para seguir adiante. Lembra-nos da incrível orientação e ajuda que recebemos ao longo do caminho e dos nossos entes queridos que voltam para compartilhar nossos passos e aliviar nossa carga.

24

"Constatando que existo hoje no mundo, creio que sempre existirei, sob uma forma ou outra; e, apesar das inconveniências a que está sujeita a vida humana, não me oporei a uma nova edição de mim mesmo, esperando, porém, que os erros da edição anterior sejam corrigidos".

Benjamin Franklin

Ao longo dos anos, muitos dos meus pacientes se tornaram meus professores. Constantemente me presenteiam com as suas histórias e experiências, com os seus conhecimentos e saber espiritual. Alguns se tornaram muito amigos meus, compartilhando comigo suas vidas e seus talentos.

Há alguns anos, antes da publicação de *Muitas Vidas, Muitos Mestres*, porém depois de meu trabalho com Catherine e dúzias de outros pacientes na área de regressão, uma paciente me trouxe duas mensagens. Recebera essas mensagens em sonhos e anotou-as ao acordar. Eram mensagens que vinham de Philo, pessoa que eu também vira em sonhos e mais tarde identificara em meu primeiro livro. Aquela paciente nada sabia a respeito de minhas experiências oníricas. A "coincidência" do nome era interessante.

Viriam as mensagens do subconsciente da paciente? De uma fonte externa como Philo? Da lembrança esquecida de algo que ela havia lido ou escutado anteriormente? Isso talvez pouco importasse. Para parafrasear a minha filha Amy: "A realidade é uma questão de existência e aquilo existia na mente dela". As mensagens que me vinham de Philo também falavam da mente:

"Para BLW: A mente de cada um de nós é capaz de conhecer tudo, mas não de conhecer a si mesma. Pois que ela diga o que é e de onde vem, se é espírito, sangue, fogo ou alguma outra substância, ou apenas se é corpórea ou incorpórea.

Não sabemos quando a alma entra no corpo. Você fez bem em guiar as pessoas para reconhecer esse momento. É um bom começo.

Seu amigo,
Philo".

A outra mensagem veio uma semana depois e tratava da natureza de Deus.

"Para BLW: Devemos lembrar também que o Ser transcendental é a causa única, o pai e o criador do universo. Que Ele enche todas as coisas, não apenas com o Seu pensamento, mas com a Sua essência.

Sua essência não se exaure no universo. Ele está acima e além.

Podemos dizer que somente os Seus poderes estão no universo. Mas embora esteja acima de Seus poderes, Ele os inclui. O que eles fazem, Ele faz *através deles*.

Agora eles são visíveis, atuando no mundo. De sua atividade recebemos um indício da natureza de Deus.

Ideés Philo".

Vejo grandes verdades nestas palavras, qualquer que seja a sua fonte.

Já encontrei espíritas e médiuns, sacerdotes e gurus famosos, e aprendi muitas coisas com eles. Alguns são incrivelmente talentosos, outros não.

Percebi claramente que não há qualquer correlação direta entre capacidades psíquicas e nível de evolução espiritual. Lembro-me de uma conversa que tive com Edgar Mitchell, o conhecido astronauta e pesquisador de fenômenos paranormais. Em seu laboratório, Edgar estudou um famoso paranormal capaz de desenvolver energias, tais como mover a agulha de uma bússola através de um campo magnético e até mesmo mover objetos com o poder da mente. Apesar dessas capacidades tão avançadas, Edgar observou que o caráter e a personalidade deste paranormal não traduziam um alto nível de consciência espiritual. Ele foi o primeiro a me alertar para o fato de que as capacidades psíquicas e o desenvolvimento espiritual não são necessariamente correlatos.

Acredito que as capacidades psíquicas de certas pessoas aumentam à medida que elas progridem espiritualmente e se tornam mais e mais conscientes. Trata-se mais de uma aquisição acidental do que de um passo essencial. Ninguém deve orgulhar-se apenas porque o nível de suas capacidades psíquicas aumenta. O objetivo é aprender acerca do amor e da compaixão, da bondade e da caridade; o objetivo não é vir a ser um paranormal famoso.

Até mesmo terapeutas podem expandir enormemente as

suas capacidades psíquicas, se o permitirem, ao trabalhar com os seus pacientes. Às vezes, capto impressões psíquicas, conhecimentos intuitivos ou até mesmo impressões físicas relacionadas ao paciente que se senta na poltrona diante de mim.

Há alguns anos, tratei de uma jovem judia que se sentia extremamente infeliz. Sentia-se deslocada, como se de alguma forma estivesse na família errada. Enquanto falava com ela, comecei a sentir uma forte dor no centro de ambas as palmas de minhas mãos. Olhei os braços de minha poltrona de couro. Não havia qualquer rachadura no couro, nenhuma aresta, nenhum motivo para aquele tipo de dor. No entanto, a dor aumentava, começando a arder e queimar. Olhei as minhas mãos e não vi quaisquer marcas; não havia corte algum, nenhum motivo para aquilo.

Foi então que um pensamento me ocorreu subitamente: "É como se eu estivesse sendo crucificado". Decidi perguntar-lhe o que aquilo significava. "O que a crucifixão evoca em sua mente? Você tem alguma conexão com Jesus?" Ela apenas me olhou, empalidecendo. Secretamente, a jovem vinha comparecendo à igreja desde os oito anos de idade. Nunca tinha falado aos pais acerca de sua sensação de ser realmente católica.

Aquela sensação em minhas mãos e a conexão que havíamos estabelecido ajudaram minha paciente a quebrar o impasse de sua vida e saber que não era louca ou bizarra, que o que ela sentia tinha base na realidade. Finalmente, começou a compreender e a curar-se. Mais tarde, descobrimos uma notável vida passada que ela havia tido na Palestina há dois mil anos.

Somos todos intuitivos e todos somos gurus. O que acontece é que simplesmente esquecemos.

Um paciente perguntou-me acerca de Sai Baba, um grande homem santo da Índia. Seria ele um avatar, uma encarnação divina, um descendente da divindade encarnado na Terra?

– Não sei – respondi – mas, de certa forma, não somos todos divinos?

Todos somos deuses. Deus está dentro de nós. Não devemos deixar que a nossa atenção se perca em capacidades paranormais, pois estas são meros marcos ao longo do caminho. Precisamos exprimir nossa divindade e o nosso amor por meio de boas ações, por meio de serviço.

Talvez ninguém deva ser o guru de outro por mais de um mês ou dois. Viagens repetidas à Índia não são necessárias, pois a verdadeira viagem está dentro de nós.

Termos as nossas próprias experiências transcendentais, nos abrirmos ao conhecimento do divino, à compreensão de que a vida é muito mais do que parece, tem suas vantagens. Muitas vezes só acreditamos quando vemos.

O nosso caminho é interior. Este é o caminho mais difícil, a viagem mais dolorosa. Somos responsáveis por nosso próprio aprendizado. Esta responsabilidade não pode ser colocada nos ombros de outra pessoa, de algum guru.

O reino de Deus está dentro de nós.

Epílogo

"Tenho certeza de haver estado aqui mil vezes antes, tal como sou, e espero voltar outras mil vezes".

Goethe

De vez em quando, recebo notícias de Elizabeth e Pedro. Hoje eles estão casados e felizes, moram no México, onde Pedro passou a exercer atividades políticas, além de cuidar de seus negócios. Elizabeth se dedica à linda filhinha que tem longos cabelos castanhos e adora apanhar flores no jardim de casa e correr atrás de borboletas que esvoaçam em torno dela.

"Muito obrigada por tudo," escreveu-me Elizabeth recentemente. "Somos muito felizes e lhe devemos muito".

Não creio que eles me devam nada. Não acredito em coincidências. Eu os ajudei a se encontrarem, mas eles teriam se encontrado, mesmo sem mim. É assim que o destino funciona.

Quando deixamos que o amor flua livremente, ele vence todos os obstáculos.

Muitas Vidas
Muitos Mestres

O que acontece quando um renomado psiquiatra vem a público para revelar sua experiência com uma paciente que, durante as sessões de hipnose, regride no tempo e vivencia suas vidas passadas?

Muitas Vidas Muitos Mestres conta a surpreendente e controvertida história deste médico — o Dr. Brian Weiss — e seu trabalho com a paciente Catherine que, apesar de tratada durante 18 meses com terapias tradicionais, só apresenta cura satisfatória ao regredir às suas vidas anteriores.

A grande diferença entre o depoimento do Dr. Weiss e as centenas de outros já publicados reside no currículo deste respeitado médico formado pela Columbia University. Professor catedrático de um dos mais conceituados hospitais americanos, o Mount Sinai Medical Center, Brian Weiss relutou muito tempo em publicar suas constatações. Afinal, o ineditismo de sua experiência iria certamente atrair a discordância de muitos colegas e de toda a comunidade científica tradicional.

"Nada em meu passado me preparara para isto. Fiquei totalmente surpreso quando essas coisas aconteceram" — afirma o Dr. Weiss, formado para pensar como cientista e médico, pautando seu trabalho pelo racionalismo das teorias tradicionais de tratamento psiquiátrico. Catherine, suas lembranças de vidas passadas e os espíritos desenvolvidos — os Mestres — que comunicavam suas mensagens por meio da paciente derrubam todo o ceticismo do Dr. Brian Weiss.

A pesquisa científica nesta área está apenas começando, e recebe os ataques tão comuns a toda mudança histórica. Galileu e Freud foram antes ridicularizados por suas descobertas, e hoje suas idéias são aceitas por toda a comunidade científica.

Verdadeiro, emocionante, surpreendente, revelador. *Muitas Vidas Muitos Mestres* é a contribuição de um respeitado cientista para a ascensão de uma nova teoria científica capaz de responder às questões que intrigam a humanidade há vários milênios.

O Autor

Dr. Weiss dirige uma clínica particular em Miami, Florida, que conta em seu corpo profissional com psicólogos e assistentes sociais altamente capacitados e treinados para aplicar terapia de vidas passadas. Dr. Weiss também organiza seminários, oficinas de sensibilização e programas de treinamento para profissionais. Ele gravou cassetes que lhe ajudarão a descobrir e aprender técnicas de meditação, relaxamento profundo, regressão e outros exercícios de visualização.

Para maiores informações, favor contactar:

Weiss Institute
6701 Sunset Drive, Suite 201
Miami, Florida, 33143
Telefone: (001-305) 661.6610
Fax.: (001-305) 661.5311